LEUR
COIN CACHÉ
au Québec

Isabel Authier
Stéphane Champagne
Marie-France Létourneau

Leur
coin caché
au Québec

Les coups de cœur nature
de 70 personnalités d'ici

ÉDITIONS
MICHEL
QUINTIN

Catalogage avant publication de Bibliothèque et Archives nationales du Québec
et Bibliothèque et Archives Canada

Authier, Isabel, 1968-

Leur coin caché au Québec: les coups de cœur nature de 70 personnalités d'ici

ISBN 978-2-89435-400-1

1. Québec (Province) - Descriptions et voyages. 2. Personnalités - Québec (Province)
- Entretiens. I. Champagne, Stéphane. II. Létourneau, Marie-France. III. Titre.

FC2917.6.A97 2008   917.1404'5   C2008-941223-0

Édition: Johanne Ménard
Révision linguistique: Serge Gagné
Design graphique et infographie: Céline Forget

Patrimoine Canadian
canadien Heritage

Gouvernement du Québec – Programme de crédit d'impôt pour l'édition de livres
– Gestion SODEC

Les Éditions Michel Quintin bénéficient du soutien financier de la SODEC et du
gouvernement du Canada par l'entremise du Programme d'aide au développement
de l'industrie de l'édition (PADIÉ) pour leurs activités d'édition.

ISBN 978-2-89435-400-1

Dépôt légal – Bibliothèque nationale du Québec, 2008
     Bibliothèque nationale du Canada, 2008

C.P. 340
Waterloo (Québec)
Canada J0E 2N0
Tél.: 450 539-3774
Téléc.: 450 539-4905
www.editionsmichelquintin.ca

08-ML-1

Imprimé au Canada

TABLE DES MATIÈRES

Jean-Michel Anctil 8

Frédéric Back..10

Judith Bérard..12

Michel Bergeron..14

Lyne Bessette..16

Biz (Loco Locass) 18

Denise Bombardier 20

Hélène Bourgeois-Leclerc...............................22

Stéphane Bourguignon....................................24

Georges Brossard..26

Chrystine Brouillet..28

Pierre Bruneau 30

Sophie Cadieux...32

Jean-Marc Chaput..34

Jean-Pierre Charbonneau................................36

Isabelle Charest..38

Virginie Coossa 40

Philippe Couillard..42

Françoise David..44

Louise Deschâtelets 46

Josée Deschênes..48

Boucar Diouf 50

Angèle Dubeau...52

Gilles Duceppe...54

Mario Dumont 56

Pierre Falardeau...58

Marie-Thérèse Fortin 60

Guy Fournier 62

Pierre Gingras 64

Louise Harel...66

Marie-Ève Janvier..68

Lynda Johnson 70

Joé Juneau 72

Jean L'Italien...74

Patrick Lagacé 76

Robert Lalonde 78

Bernard Landry 80

Ricardo Larrivée..82

Josée Lavigueur...84

Éric Lucas...86

Pauline Marois 88

Mélanie Maynard 90

Thomas Mulcair...92

Nathalie Normandeau...94

François Parenteau...96

Pierre-Karl Péladeau 98

Fred Pellerin 100

Annie Pelletier..102

Bruno Pelletier 104

Marie Denise Pelletier 106

Bryan Perro 108

Dominique Pétin 110

Lorraine Pintal 112

Louise Portal 114

Monique Proulx 116

Francis Reddy...118

Jacynthe René...120

Zachary Richard..122

Isabel Richer...124

Gildor Roy 126

Maxim Roy 128

Éric Salvail 130

Marie-Claude Savard..132

Richard Séguin 134

Larry Smith 136

Sophie Thibault...138

Catherine Trudeau...140

Mélanie Turgeon 142

Pierre Verville...144

Laure Waridel...146

Nos coups de cœur 148

À Charles, à Antoine et à bébé en route, qui ont toute la vie devant eux pour découvrir les coins cachés du Québec.

COUP DE CŒUR AU DÉTOUR DU SENTIER

La nature peut soulever les passions. Qui n'a pas un jour ressenti une émotion forte en foulant un sentier en forêt, en pagayant sur une rivière, en pédalant sur une route inspirante ou en découvrant une nouvelle région? Tout le monde a son petit coin caché au Québec. Il suffit de s'arrêter deux minutes pour y réfléchir et une foule de souvenirs remontent à la surface.

Pas moins de 70 personnalités de tous les horizons (arts et spectacles, politique, sports) se sont prêtées au jeu. Une courte biographie et une photo vous les présentent. Leurs témoignages, souvent émouvants, les révèlent au naturel. Certains ont même accepté de nous ouvrir leur album photo personnel.

Cette brochette de coups de coeur vous donnera assurément le goût de prendre la route et de partir à la découverte d'autres régions, d'autres lieux. Pour vous faciliter la vie, les coordonnées des endroits évoqués sont indiquées sous la capsule Information.

Pour conclure, nous aimerions remercier chaleureusement toutes les personnes qui ont accepté de nous ouvrir leur cœur sur leur coin caché. Merci également aux agences d'artistes et de communication qui ont gentiment collaboré à nos démarches, de même qu'à ceux et celles qui nous ont fourni des photos pour illustrer ce livre, dont la Sépaq. Tous ont contribué au succès de ce projet.

Merci à Michel Quintin et Johanne Ménard, qui continuent d'être les bougies d'allumage pour la production d'ouvrages de qualité et emballants. Nous remercions par ailleurs Serge Gagné (révision linguistique) et Céline Forget (design graphique et mise en page) pour leur professionnalisme et leurs conseils avisés.

Jean-Michel Anctil

*En plus d'être comédien et animateur, Jean-Michel Anctil fait partie des humoristes les plus appréciés du public québécois. On l'a vu à la télé (*450, chemin du Golf, Le Cœur a ses raisons, les Ex*, etc.) et au théâtre (*Tout Shakespeare pour les Nuls*). Depuis 2006, il co-anime* La Vraie Vie *sur les ondes de la radio RockDétente. Il a été récompensé au gala des Oliviers dans les catégories Humoriste de l'année et Spectacle le plus populaire.* Rumeurs, *son spectacle le plus populaire, a été présenté plus de 733 fois. Depuis 1999, près de 500 000 personnes ont vu* Rumeurs *aux quatre coins du Québec.*

Coup de cœur pour

🍃 le parc national des Îles-de-Boucherville

Les plus beaux coins sont bien souvent dans notre propre cour. Et ça, l'humoriste Jean-Michel Anctil le sait pertinemment. Lorsqu'il a déménagé à Boucherville, en 2000, il a fait connaissance avec la piste cyclable qui mène au parc national des Îles-de-Boucherville.

Depuis, lui et sa petite famille (il est le papa de trois fillettes) sillonnent régulièrement cette voie cyclable. «On ressemble à un train routier, lance

le principal intéressé. La plus vieille de mes filles pédale sur son vélo, mais la plus jeune, qui a trois ans, est assise dans une remorque et celle de six ans est sur un vélo qui est attaché à la remorque. »

Malgré la proximité des lieux, pas question pour la tribu de rouler sur les boulevards qui mènent au parc national. L'humoriste préfère installer vélos et remorque sur le toit de sa voiture et garer celle-ci à l'entrée du parc. Sinon, le clan Anctil utilise le bateau passeur situé à Boucherville au coin du chemin Montarville et du boulevard Marie-Victorin. Un peu de navigation avant d'enfourcher sa bécane, qui dit mieux ?

Le nombre élevé de cerfs de Virginie et les nombreuses aires de pique-nique ont tout pour plaire à Jean-Michel Anctil. Mais ce golfeur de talent aime bien se rendre sur les îles de Boucherville pour y jouer un 18 trous. En effet, l'île à Pinard abrite un terrain de golf ouvert au public. Avis aux intéressés.

POUR EN SAVOIR PLUS

Été comme hiver, le parc national des Îles-de-Boucherville a beaucoup à offrir. Durant la saison chaude, les cyclistes ont accès à un réseau de 7,5 kilomètres, idéal pour les randonnées familiales. À noter que cette voie pour vélo est reliée à l'important réseau de pistes cyclables qui longent la Rive-Sud de Montréal et qui donnent accès à la Route Verte. Sinon, sur les trois îles accessibles au public (Sainte-Marguerite, de la Commune et Gros-Bois), le parc offre un service de location d'embarcations, des sentiers de randonnée à pied, des aires de pique-nique et des activités d'interprétation de la nature. L'hiver, on y pratique le ski de fond, la raquette et la randonnée pédestre. Entrée payante. Info intéressante : bateau passeur au quai de Boucherville en direction de l'île Grosbois, du 18 juin au 5 septembre.

Trois-Rivières

Joliette

Sorel

Drum

Saint-Hyacinthe

Laval

Parc national des Îles-de-Boucherville

Montréal

Saint-Jean-sur-Richelieu

Granby Sher

Salaberry-de-Valleyfield

Cowansville

INFORMATION
Parc national des Îles-de-Boucherville 450 928-5088
www.sepaq.com

FRÉDÉRIC BACK

Peintre, illustrateur, muraliste et cinéaste d'animation de renommée internationale, Frédéric Back a été mis en nomination quatre fois aux Academy Awards et a remporté deux Oscars pour Crac! *et l'*Homme qui plantait des arbres *(1987). À lui seul, ce dernier film a gagné plus de 40 prix dans des festivals cinématographiques un peu partout dans le monde. Le cinéma d'animation a permis à Frédéric Back de transmettre son message écologiste et de sensibiliser le public du monde entier aux causes environnementales qui lui tiennent à cœur.*

COUP DE CŒUR POUR
🍃 le cimetière Mont-Royal

Quand Frédéric Back dépeint le cimetière Mont-Royal, on lui laisse volontiers la plume... «Au milieu d'une prairie trône un ginkgo biloba monumental et serpente en cascadant le dernier ruisseau libre du mont Royal. Des floraisons soigneusement entretenues, des variétés de jeunes arbres plantés à côté d'érables et de chênes séculaires forment des massifs de feuillus alternant avec des espaces ouverts consacrés aux monuments évocateurs de grandes familles, de francs-maçons prospères ou de pompiers héroïques», décrit-il lyriquement.

«À l'automne, poursuit l'artiste, de riches frondaisons colorées confèrent à ces lieux une impression de paix immémoriale. Pour y accéder, il faut suivre le chemin de la Forêt, passer sous l'arche d'un joyau architectural constellé des fleurs blanches d'une vigne d'hydrangée grimpante.»

Par beau temps, les chants des cardinaux résonnent dès l'entrée et font oublier les rumeurs de la ville, dit-il. «Accompagnés de notre petite chienne Mali, nous retrouvions là d'autres amis de toutous en liberté, pour déambuler en causant parmi ces pierres silencieuses, anges ou petits agneaux de marbre rongés par les intempéries, évoquant de manière si touchante la tristesse des familles.»

Frédéric Back souligne également la grande variété végétale qui favorise une faune exceptionnelle au centre de la grande ville. Des groupes d'ornithologues amateurs sillonnent d'ailleurs le cimetière pour y découvrir grands-ducs, nyctales, buses, mésanges, jaseurs d'Amérique, passerins indigo et parulines, qui trouvent là abri et nourriture, tout comme des familles de renards et de ratons laveurs.

«Le terrain vallonné permettait à nos amis à quatre pattes de surprendre des marmottes et de poursuivre des écureuils. Il y avait toujours un arbre ou un terrier proche pour échapper aux poursuivants. Mais maintenant, les chiens sont proscrits, là aussi, et nous ne pouvons plus partager un bonheur paisible en ces lieux superbes aux tombes souvent oubliées, déplore-t-il. Heureusement, la faune sauvage continue de bénéficier de ce milieu exceptionnel et de le rendre vivant en toutes saisons.»

🍂 POUR EN SAVOIR PLUS

Le cimetière Mont-Royal est l'un des premiers cimetières ruraux en Amérique du Nord. Au 19ᵉ siècle, pour éviter la propagation d'épidémies et d'autres problèmes d'hygiène publique, les autorités ont eu l'idée d'aménager les cimetières à la campagne. En 1851, la communauté protestante de Montréal acheta une section du mont Royal et en fit un cimetière-jardin. Avec ses jardins en terrasse, ses monuments et sa végétation luxuriante, le site est d'une grande beauté. Ses sentiers bordés d'arbres et de fleurs accueillent les marcheurs et les ornithologues en quête de quiétude et de belles découvertes. On y accède par le chemin de la Forêt à Outremont.

INFORMATION
Cimetière Mont-Royal 514 279-7358
www.mountroyal.com

JUDITH BÉRARD

Chanteuse et comédienne, Judith Bérard n'a pas mis de temps à découvrir sa voie. À l'âge de neuf ans, elle chantait déjà comme soliste! Globe-trotter menant de front sa double carrière, la jeune femme a joué dans Lance et compte et Scoop, sans jamais cesser d'écrire et de chanter. Son premier album, Ailleurs, a été suivi d'un second, Itinéraire. On se souvient également de ses prestations dans les comédies musicales Starmania, Jeanne la pucelle et Cindy. Depuis quelques années, Judith Bérard partage sa vie entre le Québec et l'Italie, d'où elle travaille avec son époux, le compositeur Romano Musumarra. Depuis 2005, elle participe activement à un projet d'album d'envergure internationale regroupant quatre sopranos, qui doit sortir en 2008.

COUP DE CŒUR POUR

la montagne de Bromont

Bien qu'elle habite en Italie depuis six ans, Judith Bérard voue toujours une profonde affection à Bromont et à sa montagne. «Quand j'avais 11 ans, relate-t-elle, mon père a décidé de quitter la ville pour devenir fermier. Bromont semblait le bout du monde pour nous, gamins urbains... Nous avons tout construit en famille. Au début, nous dormions dans la grange et, peu à peu, nous avons érigé un magnifique domaine de 85 acres avec un verger, des chevaux, des chèvres, des chats et des chiens...»

Chaque année, c'est plus fort qu'elle, la jeune femme revient y faire son tour. «Nul endroit au monde ne saura toucher mon cœur comme la montagne de Bromont. J'y passe tous mes étés, confie-t-elle. Parce que les étés en Italie sont désormais si chauds et si secs que la pluie et le vert intense me manquent.»

Elle adore les fréquents «changements climatiques» que connaît Bromont, en raison de sa montagne et des microclimats qui l'entourent. «Les étés y sont changeants, pleins d'oiseaux et de parfums d'herbes et de plantes sauvages qui poussent en forêt, remplis du son des ruisseaux. Je me souviens de chaudes journées d'été quand un mur de pluie arrivait à l'improviste du haut de la montagne. On courait dehors avec nos barres de savon pour prendre une douche fraîche sous la pluie», décrit-elle.

Chaussée de bottes de marche, Judith Bérard aime arpenter la montagne avec son chien... et ses rêves. «Depuis toujours, c'est mon refuge pour réaligner mon tir, faire un bilan sur moi-même et préparer mes prochains défis. C'est mon chemin de Compostelle à moi!»

Parce que le plus beau est à pied, insiste-t-elle, quand on grimpe le mont Brome et que tout en haut, un belvédère offre une vue imprenable sur les Cantons-de-l'Est et les États-Unis. Selon elle, on peut même apercevoir

le lac Champlain par temps clair. Un détail important pour cette grande voyageuse qui a toujours besoin de garder un œil « sur les ailleurs », comme elle le dit si joliment.

Les amateurs de randonnée à cheval, comme elle, sont aussi assurés de s'y plaire. « Mais là, fait-elle remarquer, il faut bien connaître la montagne. On peut y passer des heures sans jamais revenir sur ses traces. »

Bromont et les environs se laissent aussi découvrir à vélo de montagne ou de route, termine la chanteuse. « Autour du lac Brome, par exemple, pas très loin, il y a des tonnes de petits endroits sympathiques qui ont conservé un cachet anglo-saxon. On peut s'arrêter pour manger ou simplement sauter à l'eau pour se rafraîchir. »

POUR EN SAVOIR PLUS

Si vous aimez bouger et vous perdre dans la nature, Bromont a tout pour vous faire passer de bons moments. La montagne fait non seulement partie intégrante du paysage, mais aussi du quotidien des Bromontois, qui la fréquentent sans se lasser. À Bromont, le ski et le golf sont rois. Il est toutefois possible de s'adonner à une multitude d'autres activités, comme la randonnée pédestre, les sports équestres, le vélo de montagne ou de route, les glissades alpines ou tout simplement le plaisir de flâner au village ou d'admirer le panorama. En hiver, le ski alpin, des sentiers de ski de fond et de raquette complètent cette gamme d'attraits.

INFORMATION
Bureau d'accueil touristique de Bromont 1 877 276-6668
www.tourismebromont.com

MICHEL BERGERON

Les Québécois le surnomment « le Tigre » en raison de sa fougue légendaire. Après avoir mené d'une main de fer les Draveurs de Trois-Rivières dans la Ligue de hockey junior majeur du Québec pendant six ans, Michel Bergeron a pris les rênes des Nordiques de Québec en 1980, devenant le premier entraîneur francophone à accéder à la Ligue nationale. Durant toute une décennie, il dirigera les Nordiques, les Rangers de New York brièvement, puis les Nordiques à nouveau en 1989-1990. L'homme met aujourd'hui son expérience au profit des amateurs de hockey sur les ondes de CKAC et de TQS.

COUP DE CŒUR POUR

le lac des Sables à Sainte-Agathe-des-Monts

Quand il veut décrocher du quotidien, Michel Bergeron joue au golf. C'est son dada. Mais si l'envie lui prend de se perdre en nature en parcourant des paysages magnifiques, il prend la route des Laurentides. Depuis cinq ou six ans, son endroit de prédilection a un nom : le lac des Sables à Sainte-Agathe-des-Monts.

C'est un membre de la famille de son épouse qui leur a fait découvrir l'endroit. Résidant de la Rive-Nord de Montréal, le couple a toujours eu une attirance pour les Laurentides. « Ce n'est pas très loin de la maison », confie-t-il.

Aux abords du plan d'eau, il s'est d'ailleurs fait construire récemment un second chez-soi où il passe quelques jours par semaine. Cependant, il l'avoue candidement : ses séjours dans ce coin des Laurentides n'ont rien de bien sportif. Le côté social y joue pour beaucoup. Un peu de randonnée pédestre, des soupers au grand air, des balades en ponton, voilà ce qui lui plaît. La belle vie, quoi !

Été comme hiver, dit-il, le coup d'œil vaut le détour. « C'est un très beau lac. Les gens y font de la voile, il y a une belle plage pour la baignade. Ce qu'il y a de particulier, c'est que le centre-ville de Sainte-Agathe se trouve tout près du lac, alors ça amène beaucoup de gens. Dans le coin, on peut aussi faire de la marche, du vélo, du golf... C'est très agréable », raconte-t-il en se qualifiant de « gars d'été ».

Pour Michel Bergeron, le lac des Sables est surtout synonyme de bons repas entre amis, de farniente et de couchers de soleil magnifiques. Maintenant qu'il y passe plus de temps, il compte bien découvrir l'endroit plus à fond et élargir sa collection de bons souvenirs !

POUR EN SAVOIR PLUS

Niché en plein cœur de Sainte-Agathe-des-Monts, le lac des Sables invite à la baignade et à plusieurs activités nautiques. Une plage surveillée permet de se prélasser sur son rivage. On y trouve un casse-croûte, une aire de jeux et un kiosque de location de canots, pédalos et kayaks. À proximité, une foule d'activités permettent aussi de prendre l'air : randonnée à vélo ou à pied au parc linéaire du P'tit train du Nord, observation d'oiseaux et pêche durant la belle saison ; sports de glisse, raquette, patinage sur le lac et randonnée de traîneaux à chiens en hiver.

Sainte-Agathe-des-Monts •

Joliette •

Saint-Jérôme •

Lachute •

Laval •

Hull •

Ottawa •

Montréal •

Richelieu

INFORMATION
Lac des Sables à Sainte-Agathe-des-Monts 1 888 326-0457
www.ste-agathe.org

LYNE BESSETTE

Lyne Bessette est l'une des figures emblématiques du cyclisme féminin au Canada. Sa carrière professionnelle a véritablement pris son envol en 1997 après l'obtention de sa médaille d'or en course sur route aux Jeux du Canada. L'année suivante, elle a remporté avec brio la médaille d'or aux Jeux du Commonwealth, ce qui a ouvert la voie à une succession de victoires et à deux participations aux Jeux olympiques. En 2006, les blessures l'ont contrainte à abandonner la course sur route, ce qui ne l'a pas empêchée de faire la pluie et le beau temps à vélo sur piste et en cross-country. Récemment, Lyne Bessette a mis la pédale douce sur la compétition, mais a trouvé le temps de prendre part au Rallye Aïcha des Gazelles dans le désert du Maroc.

COUP DE CŒUR POUR

🍃 le parc d'environnement naturel de Sutton

Même si elle a parcouru la planète et qu'elle habite à Boston désormais, Lyne Bessette demeure profondément attachée à son coin de pays. Le parc du mont Sutton occupe une place de choix dans son cœur. « Pour ses sentiers pédestres, l'air pur, les couleurs à l'automne, les randonnées de plusieurs heures en raquettes l'hiver en essayant de trouver des traces d'animaux. J'y ai déjà suivi un orignal, raconte-t-elle. J'aime la nature, le silence et la solitude. J'ai toujours mon cellulaire avec moi... mais là-bas, il ne fonctionne pas! Je ressens parfois un peu de crainte, mais surtout beaucoup de bien-être et l'impression d'être seule au monde. Mais on y fait aussi de belles rencontres avec d'autres randonneurs, souvent des amis que je n'ai pas vus depuis des années! »

Elle s'y rend souvent seule, mais aussi en compagnie de son mari, le cycliste professionnel Tim Johnson. « Il y a deux ans, Tim et moi avions acheté des *crazy carpets*. Un lundi, alors que les sentiers étaient déserts, nous avons atteint le sommet Round Top en raquettes... pour redescendre en *crazy carpets*. Il y avait beaucoup de neige. C'était comme une piste de luge, sauf que les sections d'escaliers étaient un peu dures à passer sur le ventre! Nous nous sommes amusés comme des enfants. »

Elle apprécie également la compagnie de son amie Sandra. « Elle est ma "jumelle" de onze ans mon aînée; nous sommes nées le même jour. » Son Labrador prénommé Vitesse connaît aussi très bien l'endroit!

Lyne Bessette a découvert le mont Sutton à l'époque où elle faisait partie de l'équipe de course de ski alpin du mont Glen. « Je devais avoir entre 12 et 14 ans. Nous parcourions les montagnes de la région l'hiver. Et l'automne, je participais aux défis Super 4, de la course à pied de la base au sommet des quatre montagnes de la région. »

L'athlète y apprécie particulièrement l'automne pour la randonnée et l'hiver pour le ski. « J'aime toujours y retourner au moins une fois durant la saison froide. Le mont Sutton est associé à un ensemble de souvenirs du début de ma carrière. C'est le bagel que j'allais toujours manger au déjeuner, l'après-ski, les party du jour de l'An, les entraînements de vélo sur la route qui mène à la montagne... et les gens du village qui sont si sympathiques. »

🍃 POUR EN SAVOIR PLUS

Le massif des monts Sutton compte une station de ski, mais également 80 kilomètres de sentiers pour la marche et la raquette. On trouve à cet endroit une grande variété d'espèces d'animaux et de végétaux. Du sommet Rond (Round Top), on a une vue spectaculaire sur les Appalaches. Les lacs Spruce et Mohawk offrent également un cadre magnifique pour un pique-nique. On accède aux sentiers par le stationnement Alt 520. Pour vous y rendre, suivez les indications pour la station de ski à partir du village de Sutton, accessible par la route 139 Sud (sortie 68 de l'autoroute 10). Entrée payante.

Saint-Hyacinthe
Montréal
Richelieu
Saint-François
Saint-Jean-sur-Richelieu
Granby   Sherbrooke
Salaberry-de-Valleyfield
Cowansville   Magog
Riv.
Sutton ●
Coatic
Lac

INFORMATION
Parc d'environnement naturel de Sutton 450 538-4085
www.parcsutton.com

BIZ

Biz est membre de Loco Locass, un groupe rap québécois fondé en 1995. On sait très peu de choses sur lui, si ce n'est qu'il a 35 ans et qu'il vit à Montréal. Biz partage le micro de Loco Locass avec Snou de Batlam et Chafiik. Ces francophiles font ouvertement la promotion de l'indépendance du Québec dans leurs chansons. Loco Locass a trois disques à son actif : Manifestif, In Vivo et Amour Oral. Son plus grand succès demeure Libérez-nous des Libéraux. Entre autres récompenses, Loco Locass a reçu le Prix Félix-Leclerc en 2001 aux FrancoFolies de Montréal, de même que les prix «auteur ou compositeur de l'année» et «meilleur album hip-hop» au Gala de l'ADISQ en 2005.

COUP DE CŒUR POUR
🍃 la Côte-Nord

Biz vibre pour la Côte-Nord. Littéralement. «Mon père vient de Sept-Îles et ma mère de Baie-Comeau. Même si je suis né à Québec, la Côte-Nord est associée à ma cosmogonie personnelle. C'est une région qui me précède, qui fait partie de moi», explique d'entrée de jeu le sympathique rappeur.

Adopter ce coin de pays était donc naturel pour Biz. «Mon père, dit-il, m'a raconté plein de choses au sujet de la Côte-Nord, entre autres ce qu'il y faisait dans sa jeunesse.» C'est donc rempli d'enthousiasme que le souverainiste notoire a visité à maintes

reprises la Côte-Nord, que ce soit dans sa jeunesse avec ses parents (pour visiter ses grands-parents durant le temps des Fêtes ou en été) ou plus récemment avec sa conjointe. Il a parcouru l'endroit en toutes saisons.

Le kayak de mer, la pêche à la truite et le camping figurent parmi les activités de prédilection de Biz. Il se souviendra d'ailleurs longtemps d'une partie de pêche à la morue près de Godbout avec son grand-père. «Une orque est venue près de notre petite embarcation. Moi qui n'ai pas le pied marin, j'étais pas mal inquiet en voyant cette énorme chose si près de nous. Ça a malgré tout été une belle expérience. »

Autre souvenir marquant: « Mon grand-père avait un terrain sur le bord du fleuve à Grandes-Bergeronnes. Le matin, on se faisait réveiller par le souffle des baleines. Une fois où elles étaient très actives, on est allés les voir en kayak. C'était des rorquals communs. C'est plus gros qu'un autobus! Il y en avait un à 50 pieds de moi et j'ai très bien vu ses fanions. Il est ensuite passé sous mon kayak avant de ressortir exactement où j'avais calculé qu'il ressortirait. J'en garde un souvenir très vif. C'était fascinant. »

La Côte-Nord n'est certes pas la destination touristique par excellence des Québécois. Et le rappeur à la plume acérée ne s'en formalise pas. « Mais j'aimerais que les Québécois connaissent mieux leur pays, qu'ils connaissent encore plus leur faune et leur flore », dit-il. Bien qu'il n'aime pas particulièrement rouler de longues heures en automobile, Biz se promet bien un jour de se rendre jusqu'au bout de la route 138 afin de mieux faire connaissance avec un village au nom évocateur: Natashquan.

POUR EN SAVOIR PLUS

La Côte-Nord est un vaste territoire qui compte deux régions touristiques: Duplessis et Manicouagan. Plus au sud, la région de Manicouagan prend racine à Tadoussac et va jusqu'à Baie-Comeau. On y trouve entre autres le parc-nature de Pointe-aux-Outardes, les monts Groulx, le Centre d'interprétation et d'observation du Cap-de-Bon-Désir, le Centre boréal du Saint-Laurent, de même que le Banc de sable de Portneuf-sur-mer. Plus au nord, la région de Duplessis est l'hôte du parc national du Canada de l'Archipel-de-Mingan, du parc national d'Anticosti, de la Réserve faunique de Port-Cartier-Sept-Îles, etc. Bref, pas de quoi s'y ennuyer.

Côte-Nord

INFORMATION
Tourisme Duplessis 1 888 463-0808
www.tourismeduplessis.com

Tourisme Manicouagan
1 888 463-5319
www.tourismemanicouagan.com

DENISE BOMBARDIER

Journaliste, écrivaine et animatrice de télévision, Denise Bombardier a animé plusieurs émissions au cours des 30 dernières années, dont Noir sur blanc, Point *et* Entre les lignes. *Elle a également collaboré à plusieurs publications dont* Le Monde, Le Point *et* L'Actualité. *Denise Bombardier, la romancière, a publié, entre autres,* Et quoi encore! *et* Edna, Irma et Gloria. *En 2008, elle nous présentait l'essai* Les amitiés ne sont pas éternelles, *sur l'amitié au féminin. Docteure en sociologie de la Sorbonne, elle collabore actuellement au* Devoir *et au bulletin de nouvelles de TVA. Elle accompagne la chanteuse Céline Dion dans sa tournée mondiale. Un livre sur la diva québécoise suivra.*

COUP DE CŒUR POUR

🍂 la route 155 entre Grand-Mère et La Tuque

Denise Bombardier est propriétaire d'un camp en bois rond près de La Tuque. Et pour s'y rendre, elle doit emprunter la route 155 qui relie les municipalités de Grand-Mère et de La Tuque, en Mauricie. Pour elle, cette route est tout simplement (et elle insiste sur chaque syllabe) « for-mi-da-ble! ».

« Elle longe la majestueuse rivière Saint-Maurice, et on sent très bien les falaises et les caps rocheux quand on la parcourt. Dès que mon conjoint et moi on se met à rouler dessus, la magie opère. Elle offre des paysages aussi beaux que ceux de Charlevoix », affirme sans ambages la journaliste.

La dame a découvert cette pittoresque route provinciale en 2004 lorsqu'elle a fait l'acquisition de son refuge en nature. « Je ne la connaissais pas, car c'est une route que peu de gens utilisent », explique Denise Bombardier.

Depuis, elle sillonne la route 155 en toutes saisons au volant de son pick-up rouge. Et c'est elle qui est aux commandes, car son mari ne possède pas de permis de conduire. Madame B, comme certains la surnomment, prend un certain plaisir à souligner l'anecdote suivante : « Quand j'emprunte la 155, dit-elle, je me mets à rêver. Et vous savez quoi, la plaque d'immatriculation sur mon pick-up commence par les lettres REV, comme dans rêve. »

On comprend Denise Bombardier d'affectionner la route 155, car c'est la seule voie donnant accès à son havre de paix : un camp de pêche situé en pleine forêt et dont le voisin le plus proche vit à 7 kilomètres de chez elle. « J'aime les extrêmes », dit la femme de lettres le plus simplement du monde.

Cette cabane au Canada suscite d'ailleurs l'intérêt des nombreux amis français de l'écrivaine. Plusieurs d'entre eux se bousculent au portillon et veulent s'y faire inviter.

Sur place, Mme Bombardier en profite pour pêcher ou sillonner en chaloupe le lac situé devant sa résidence. Elle se promène même en VTT. Autrement, elle en profite pour se détendre et pourquoi pas… écrire un peu.

POUR EN SAVOIR PLUS

La route 155 est une route provinciale orientée nord-sud, parallèlement à la rivière Saint-Maurice. Cette voie panoramique prend naissance à Shawinigan, en Mauricie, et longe le parc national du Canada de la Mauricie, de même que la Réserve faunique du Saint-Maurice. Elle est le prolongement de l'autoroute 55, qui prend naissance plus au sud sur l'autoroute 20. La 155 mène directement à Chambord, sur les berges du lac Saint-Jean. Elle traverse, entre autres, Grandes-Piles, Saint-Roch-de-Mékinac, La Tuque, La Bostonnais et Lac-Bouchette.

INFORMATION
Tourisme Mauricie 819 536-3334, 1 800 567-7603
www.tourismemauricie.com

HÉLÈNE BOURGEOIS-LECLERC

Son rôle le plus marquant (et sans doute l'un des plus déstabilisants) demeure à ce jour celui de Dolorès Bougon dans la série télévisée Les Bougon, *c'est aussi ça la vie. Cette prestation lui a d'ailleurs valu un prix Métrostar en 2005, de même que deux prix aux galas Artis de 2006 et 2007. À la télévision, on l'a également vue dans* 4 et demi, Tribu.com *et* Annie et ses hommes. *Au cinéma, elle a joué les tortionnaires dans* Aurore. *En 2008, Hélène Bourgeois-Leclerc est montée sur les planches du Théâtre du Rideau Vert pour y interpréter* Construction.

COUP DE CŒUR POUR
Trois-Pistoles

Depuis quatre générations, la famille d'Hélène Bourgeois-Leclerc est propriétaire de deux chalets sur le bord du fleuve à Trois-Pistoles, dans le Bas-Saint-Laurent. Pour la comédienne, il s'agit d'un lieu de ressourcement qui n'a pas d'égal.

« J'aime cet endroit pour ce que ça m'apporte. Dès qu'on quitte l'autoroute 20 et qu'on emprunte la route 132, on sent les odeurs de varech et d'air salin. C'est quelque chose d'unique qui m'émeut à chaque fois », confie la jeune femme.

« C'est un endroit que je connais depuis toujours, ajoute-t-elle du même souffle. Même si on habitait en Outaouais, ça ne nous dérangeait pas de faire huit heures de route pour s'y rendre. Ça a une connotation familiale très forte pour moi. Ça demeurera encore longtemps notre havre. »

D'ailleurs, le fait d'habiter aussi loin de cette oasis de paix rendait chaque voyage toujours plus excitant. Hélène Bourgeois-Leclerc en garde d'ailleurs de très beaux souvenirs. « Tous les ans, dit-elle, en arrivant sur la route 132, quand ça commençait à sentir la mer, mon père baissait sa vitre et nous disait : sentez les enfants ; pensez-vous qu'on est arrivés ? »

La comédienne se rend au refuge familial tantôt seule, tantôt en compagnie d'amis. L'un des buts recherchés : échapper à la jungle montréalaise. Ses parents, tous les deux retraités, y demeurent en permanence durant la saison estivale. D'ailleurs, comme les deux chalets ne disposent pas d'électricité, c'est en été que les Bourgeois-Leclerc s'y rendent le plus souvent. « Mais on y est déjà allés pour Noël ; on avait même coupé notre sapin sur place », dit-elle.

À Trois-Pistoles, Hélène Bourgeois-Leclerc contemple la beauté des paysages du Bas-Saint-Laurent. Elle s'adonne également au kayak et s'offre de longues promenades en bordure du fleuve à marée basse. La lecture est aussi l'un de ses passe-temps là-bas. « Je m'offre de la douceur et du repos », confie la jeune femme. Et elle ne dit pas non, au moment de l'apéro, à un petit verre de rosé.

🍃 Pour en savoir plus

La municipalité de Trois-Pistoles est située au cœur de la région touristique du Bas-Saint-Laurent, à mi-chemin entre Kamouraska et Rimouski. Les amateurs de grand air ont de quoi s'amuser, notamment sur la Route verte – Le Littoral basque. Aménagé le long du fleuve, ce circuit cyclable et pédestre long de 42 kilomètres offre des vues imprenables sur le majestueux cours d'eau. Des visites ont lieu dans l'île aux Basques, située juste en face de la municipalité. Par ailleurs, la Compagnie de navigation des Basques offre le service de traversier jusqu'aux Escoumins, sur la rive nord du fleuve Saint-Laurent. C'est également à Trois-Pistoles que prend naissance l'un des tronçons du Sentier national qui, long de 144 kilomètres, mène jusqu'à Dégelis, à la frontière du Nouveau-Brunswick.

Information
Tourisme Bas-Saint-Laurent 418 867-1272 ou 1 800 563-5268
www.tourismebas-st-laurent.com

STÉPHANE BOURGUIGNON

Stéphane Bourguignon a plusieurs cordes à son arc. Il est à la fois romancier, scénariste et scripteur humoriste. Mais c'est à titre de scénariste qu'il s'est le plus fait remarquer ces dernières années. On lui doit les téléséries La vie, la vie, *récompensée par deux prix Gémeau, et* Tout sur moi. *Il a publié quatre romans :* L'Avaleur de sable, Le principe du Geyser, Un peu de fatigue *et* Sonde ton cœur, Laurie Rivers. *Mais c'est d'abord comme scripteur humoriste qu'il a démarré sa carrière. Il a travaillé notamment avec Patrick Huard, Marie-Lise Pilote et Pierre Légaré. Il a enseigné les techniques de l'écriture humoristique à l'École nationale de l'humour de 1991 à 1993.*

COUP DE CŒUR POUR
🍂 le parc du Mont-Royal

Stéphane Bourguignon aime la campagne. À défaut de pouvoir s'y rendre aussi souvent qu'il le souhaiterait, il a découvert un compromis qui lui permet de prendre une bouffée d'air frais et d'entrer en contact avec la nature, à 10 minutes de chez lui : le parc du Mont-Royal.

Et ce n'est pas d'hier que l'auteur fréquente les lieux. « Ça fait très longtemps que j'y vais. Mais j'ai redécouvert le parc avec plus d'intensité et de bonheur il y a environ sept ou huit ans. Je l'ai exploré plus. J'aime l'endroit pour sa proximité avec la ville, mais aussi parce qu'on peut prendre un sentier et ne croiser personne pendant un moment », dit-il.

Stéphane Bourguignon avait d'ailleurs l'habitude de s'y rendre régulièrement lorsque son fils était plus jeune. « Une fois, on a découvert un marais assez isolé. Même les fins de semaine, il n'y avait pratiquement personne. C'était devenu notre endroit. Et, étrangement, il y avait un arbre en train de se décomposer qui sentait la réglisse noire. Ça fait longtemps que nous n'y sommes pas retournés, mais mon fils m'en parle encore... »

Porte-parole des Amis de la montagne, Stéphane Bourguignon apprécie également le mont Royal pour la diversité de ses visiteurs. « On y rencontre plein de monde de toutes les nationalités. Il y a des gens à pied, à vélo, avec des poussettes. C'est une belle animation au cœur de la ville, mais dans un contexte de campagne. C'est très vivant et, en même temps, les gens sont plus relax que sur le boulevard Saint-Laurent, par exemple », dit-il.

Ce Montréalais se rend au parc seul, avec des amis ou en famille. Il y fait du vélo, de la glissade avec sa fille, de la randonnée pédestre. Mais les lieux sont également source d'inspiration pour le romancier et scénariste. « C'est une façon de travailler. J'y vais parfois à vélo ou en marchant, avec de la musique, pour développer des idées dans ma tête. Je trouve que c'est une ambiance stimulante. À une époque, j'y allais souvent pour réfléchir », raconte-t-il.

À ses yeux, le parc du Mont-Royal vaut le détour en toutes saisons. «J'aime un peu moins l'été quand il fait chaud, mais c'est l'endroit idéal pour avoir un peu de fraîcheur et d'ombre. J'aime l'hiver et l'automne avec les couleurs. Le printemps est aussi magnifique avec les ruisseaux gorgés d'eau», évoque-t-il.

POUR EN SAVOIR PLUS

Le mont Royal est aux Montréalais ce que Central Park est aux New-Yorkais. Les paysages, la faune, la flore et l'histoire de ce parc urbain de 10 km² en font un lieu exceptionnel à visiter. La nature se révèle dans toute sa splendeur, à quelques stations de métro du centre-ville. Le mont Royal fait partie des montérégiennes, ces dix collines qui façonnent le sud du Québec entre Mégantic et Oka. À 233 mètres d'altitude, il est le point culminant de l'île de Montréal. On peut y marcher, y faire du vélo, des pique-niques, de la glissade, du ski de fond, de la raquette. Il y a une multitude de services sur place (casse-croûte, location d'équipements, toilettes, etc.). Plusieurs activités sont également organisées tout au long de l'année. L'entrée est gratuite, mais le stationnement est payant.

GEORGES BROSSARD

Entomologiste amateur aussi réputé que coloré, Georges Brossard a d'abord exercé la profession de notaire avant de se laisser emporter par sa principale passion : l'étude et l'observation des insectes. Fort d'une impressionnante collection, il a fondé l'Insectarium de Montréal en 1989. Il a depuis contribué à mettre sur pied quatre autres insectariums dans le monde, dont un à Shangaï et un autre en Afrique du Sud. Il est l'auteur de la série Mémoire d'insectes. *Il est également l'auteur et l'animateur de la série* Insectia. *Conférencier et grand pêcheur devant l'Éternel, Georges Brossard est par ailleurs à l'origine du film* Le Papillon bleu *de Léa Pool, sorti en 2004.*

COUP DE CŒUR POUR
🍃 le réservoir Gouin

Georges Brossard vénère le réservoir Gouin, situé dans le nord de la Mauricie. Pilote de brousse, il a découvert l'endroit par hasard, en survolant la région, il y a environ 40 ans. Depuis, il y est allé «des centaines de fois». Signe de son attachement à ce lieu, il s'y est construit un chalet en bois rond. «Une vraie cabane au Canada» sur laquelle il aime mettre ses talents de bâtisseur à l'épreuve lors de ses fréquents séjours.

L'intérêt de Georges Brossard pour le réservoir Gouin se cache en bonne partie dans les profondeurs de ce vaste plan d'eau qui s'étend sur 1570 km^2. L'entomologiste est un pêcheur invétéré.

Aussi, ce coin du Québec ne manque pas de charme aux yeux du vulgarisateur de l'univers des insectes. «C'est d'une beauté inouïe. Les gens ne s'imaginent pas. La végétation est magnifique», s'enthousiasme-t-il. Outre la multitude de poissons et la flore étonnante, il y a aussi les longues plages à découvrir en toute quiétude car l'endroit est plutôt isolé. Bref, le réservoir Gouin n'a rien à envier à la Floride, selon Georges Brossard.

C'est durant la saison chaude, en mai, juin, juillet et août, qu'il aime se rendre au réservoir Gouin. Il y a ses habitudes, en solitaire. «C'est difficile d'amener des gens prêts à rester quelques jours là-bas, avec les insectes et les conditions de confort minimales. Et ce n'est pas facile de s'y rendre par la route», fait-il remarquer.

Pas question pour cet amant de la nature d'immortaliser l'endroit ou ses observations sur pellicule. «Je n'ai pas de photos. J'ai arrêté d'en prendre il y a longtemps. Tu ne peux pas faire la chasse aux insectes et prendre des photos en même temps. C'est l'un ou c'est l'autre. Mes meilleurs souvenirs sont dans mon cœur», dit-il.

☙ Pour en savoir plus

Le réservoir Gouin a été aménagé en 1918 dans le cours supérieur de la rivière Saint-Maurice pour la production hydroélectrique. Ce paradis de la pêche doit son nom à Jean-Lomer Gouin, premier ministre du Québec de 1905 à 1920. Le réservoir est constitué de centaines de petits lacs, parsemés de multiples îles. De nombreuses pourvoiries sont disséminées près du plan d'eau. Aucune route pavée ne mène jusqu'au réservoir, seulement des chemins forestiers. La communauté autochtone d'Obedjiwan se trouve sur la rive nord du réservoir.

Réservoir Gouin

Dolbeau

Lac Saint-Jean

Roberval

Information
Tourisme Mauricie 1 800 567-7603
www.icimauricie.com
ou Association des pourvoiries de la Mauricie 1 877 876-8824

Chrystine Brouillet

Auteure de romans jeunesse, historiques et policiers, Chrystine Brouillet a publié pas moins d'une cinquantaine d'ouvrages depuis son premier roman, Chère voisine, *paru en 1982. Plusieurs de ses oeuvres ont donné lieu à des adaptations à la télévision et même au cinéma, avec le film* Le collectionneur. *Le parcours littéraire de Chrystine Brouillet est aussi ponctué de nombreux prix et mentions. Son amour pour les plaisirs de la vie et de la table est notoire. On lui doit notamment* Couleur champagne, *un livre à la gloire du divin nectar. La dame est également invitée régulièrement sur les plateaux de télévision et dans les studios de radio, où elle revêt avec bonheur le chapeau de collaboratrice pour diverses émissions à saveur culturelle.*

COUP DE CŒUR POUR
les dunes et le village de Tadoussac

Certains souvenirs de jeunesse demeurent ancrés dans l'imaginaire à jamais. Pour Chrystine Brouillet, les dunes de Tadoussac évoquent le bonheur et l'insouciance de l'enfance. C'est en famille qu'elle s'y rendait à l'époque. « Mon père adorait pêcher et il était déjà allé dans ce coin. Il tenait à nous faire découvrir cet endroit. Les trois enfants, on dévalait les dunes avec un plaisir fou ! »

Et au-delà des dunes, il y avait la mer, la côte, le village tout autour... Elle se rappelle le sentiment de liberté et d'appartenance à ce vaste pays, l'horizon à perte de vue et le succulent pain chaud, tout droit sorti du four de la boulangère du village.

« Et puis, il y avait le traversier qui reliait Baie-Sainte-Catherine à Tadoussac. Le trajet ne durait que quelques minutes, mais ça me semblait toute une aventure ! » relate Chrystine Brouillet.

Sa plus récente visite remonte à l'été 2007, où elle a fait un séjour de quelques jours en compagnie de son amoureux. « J'ai ressenti le même sentiment de liberté et de sécurité que quand j'étais petite. Et l'impression d'être très loin du quotidien de Montréal. C'est un monde tout sauf prétentieux. Là-bas, on oublie tout. C'est un univers encore sauvage. Je m'assois pour regarder le mouvement des bateaux, j'arpente la grève, je me laisse enivrer par l'odeur du fleuve. »

Le couple y a d'ailleurs partagé un beau moment. «Nous soupions au grand resto de l'Hôtel Tadoussac. L'endroit est tout vitré, la vue est magnifique. Il y a eu un gros orage, puis un arc-en-ciel est apparu sur le fleuve juste au moment où nous mangions. C'était incroyable.»

Lors de ce même séjour, Chrystine et son homme ont ramassé de grosses pierres pour mettre dans leur jardin en ville. «C'est ma façon d'avoir un peu de Tadoussac avec moi…», glisse-t-elle, en admettant ne connaître l'endroit que sous son jour estival.

POUR EN SAVOIR PLUS

Avec ses 408 ans, Tadoussac est le plus ancien village du Canada. Niché à l'entrée du majestueux fjord du Saguenay, dans la région de Charlevoix, il est reconnu pour ses dunes de sable, son petit lac en plein cœur du village, ses demeures patrimoniales et sa baie, qui fait partie du Club des plus belles baies du monde. Interprétation de la nature, randonnée pédestre, observation des baleines, sorties en kayak de mer, vélo de montagne, ski de fond et raquette s'offrent aux visiteurs.

INFORMATION
Maison du tourisme de Tadoussac 1 866 235-4744
www.tadoussac.com

PIERRE BRUNEAU

Chef d'antenne au réseau TVA, Pierre Bruneau jouit d'une popularité incontestable. Il a remporté à 12 reprises le trophée MetroStar de l'animateur du bulletin de nouvelles le plus populaire au Québec. Il est également président de la fondation Centre de cancérologie Charles-Bruneau, nommée ainsi à la mémoire de son fils, décédé du cancer. Cette fonction qu'il assume avec dévouement le garde actif: en 2008, il a réalisé l'ascension du toit de l'Afrique, le mont Kilimandjaro.

COUP DE CŒUR POUR

🍃 le mont Albert au parc national de la Gaspésie

Difficile pour Pierre Bruneau d'identifier un seul coup de cœur nature au Québec. De son propre aveu, il en a plusieurs. Mais puisqu'il ne faut en choisir qu'un, c'est le parc national de la Gaspésie, le mont Albert et ses 1150 mètres en particulier, qui obtient sa faveur. «C'est tellement magnifique!» lance-t-il spontanément.

La magnificence des sommets de la région ne l'intimide pas. La randonnée pédestre est une de ses activités de prédilection. «J'aime la marche parce que c'est accessible à tous. Ça ne coûte rien. Ça ne prend que de bonnes

chaussures et des vêtements de circonstance. C'est comme ça qu'on découvre bien des choses et des lieux», estime-t-il. Et au parc national de la Gaspésie, il y a toujours le confort du Gîte du Mont-Albert pour refaire le plein d'énergie, fait-il remarquer.

C'est toutefois à vélo que Pierre Bruneau a découvert la région, lors d'une activité au profit de la Fondation Charles-Bruneau, il y a environ 10 ans. «On est partis de Montréal et on a roulé jusqu'à Chandler. À Sainte-Anne-des-Monts, on a pris la route qui traverse le parc et qui mène jusqu'à New Richmond. On suivait la rivière Sainte-Anne. C'était incroyable, la beauté des lieux», se souvient-il comme si c'était hier.

Cette traversée à vélo lui a par ailleurs réservé un moment de bonheur intense. «Nous étions environ 10 cyclistes. Les seuls bruits que nous entendions, c'était la respiration des cyclistes à l'effort. Pour moi, c'était le symbole de la nature pure.»

Depuis son premier contact avec le mont Albert, Pierre Bruneau y est retourné quatre fois. Il s'y rend avec sa femme, surtout en été, la saison qu'il préfère. «J'aime l'été. J'aime la chaleur du soleil qui nous traverse quand on fait une activité physique», lance-t-il. Il convient toutefois que les lieux ne manquent pas de charme l'automne, avec les couleurs qui embrasent les feuillus.

L'athlétique chef d'antenne n'a pas dit son dernier mot ; il se promet d'y retourner encore et encore.

POUR EN SAVOIR PLUS

C'est dans cette région que se trouvent les plus hauts sommets du Québec méridional, dont les monts Jacques-Cartier (1268 mètres) et Albert (1150 mètres). Le parc national de la Gaspésie abrite le seul cheptel de caribous des bois au sud du fleuve Saint-Laurent. Les randonneurs peuvent se mettre 130 kilomètres de sentiers sous la semelle. Activités d'interprétation de la nature. Canot et kayak. En hiver, raquette, ski de fond, ski nordique, télémark. Différentes formules d'hébergement sur place. Entrée payante.

INFORMATION
Parc national de la Gaspésie 1 866 727-2427
www.sepaq.com

SOPHIE CADIEUX

Jeune comédienne prolifique autant au théâtre qu'à la té-lévision, Sophie Cadieux a récemment personnifié Sylvie Lavigueur dans la télésérie Les Lavigueur ; la vraie histoire *(2008) et Clara Dumais dans* Rumeurs *(2002-2006). Depuis sa sortie du Conservatoire d'art dramatique, en 2001, on l'a aussi remarquée dans* Annie et ses hommes, La job, Fortier *et* Watatatow.

COUP DE CŒUR POUR
le parc national du Canada Forillon

Sophie Cadieux a eu un véritable coup de foudre pour le parc, situé tout au bout de la péninsule gaspésienne. De son propre aveu, c'est un endroit qui a marqué son «inconscient», sans qu'elle puisse s'expliquer pourquoi. Séduite par la «nature sauvage» de l'endroit, la jeune comédienne se re-mémore souvent son passage à Forillon.

C'est lors d'un de ses derniers voyages d'été en famille que Sophie, alors une adolescente d'environ 15 ans, a découvert le parc Forillon. À cette occasion, la famille avait fait du camping sur place. Un séjour sous la tente mouvementé! Un fort vent les avait poussés à s'abriter dans la voiture pour le reste de la nuit.

Elle conserve un excellent souvenir d'une randonnée qu'elle a effectuée seule, alors que son père et son frère étaient partis pêcher de leur côté. «Je me suis rendue à la pointe de la péninsule par le sentier pédestre. En route, j'avais lu les panneaux d'interprétation le long du sentier. Au bout, il n'y avait que la mer et l'immensité. J'ai senti ma petitesse autant que ma puissance rendue au sommet.»

Sophie n'a connu que l'été à Forillon. Avec sa famille, dans un premier temps et avec une copine, il y a quelques années. Mais s'il n'en tient qu'à elle, c'est durant l'automne, la saison qu'elle préfère, qu'elle ira la pro-chaine fois. Pour les couleurs, mais aussi pour l'air frais. Pour la couleur orangée qui teinte la lumière ambiante et aussi pour les gros pulls qu'on peut recommencer à porter.

La jeune femme a surtout apprivoisé le parc Forillon par le biais de la randonnée pédestre. Mais une activité de découverte des fonds marins l'a beaucoup intéressée. Cette activité est encore offerte. Un plongeur ramène quelques spécimens de la surprenante faune marine (étoiles de mer, concombres marins, algues, etc.) aux visiteurs rassemblés sur la plage de Grande-Grave.

Pour l'instant, Sophie Cadieux est limitée dans ses déplacements, car elle ne possède pas de permis de conduire. Mais son attrait pour le parc est encore si fort qu'elle se promet d'y retourner dès qu'elle aura le bout de papier qui lui permettra de prendre le volant. Sûrement à l'automne…

🦪 POUR EN SAVOIR PLUS

Le parc national du Canada Forillon, c'est la mer, les plages de galets, les mammifères marins et les paysages grandioses. La route 132 traverse une partie de la péninsule et permet de se rendre dans l'une des cinq petites municipalités côtières qui enclavent le parc. Randonnée pédestre, observation de mammifères et d'oiseaux marins, kayak de mer, vélo, pique-nique, croisières d'observation sont autant d'activités qu'il est possible d'y pratiquer. En hiver : ski de fond, raquette et traîneau à chiens. Entrée payante.

INFORMATION
Parc national du Canada Forillon 1 888 773-8888
www.pc.gc.ca/forillon

Jean-Marc Chaput

Consultant et conférencier dans les milieux gouvernementaux, universitaires et privés depuis plus de 35 ans, Jean-Marc Chaput est reconnu pour ses talents de communicateur. Cet universitaire, qui a étudié au Harvard Business School, a été professeur aux HEC Montréal et à l'Université de Montréal. Il a aussi été à la barre de quelques entreprises de gestion dans les années 1950 à 1970. Sa carrière de conférencier a débuté dans les années 1970. Il a récemment fait un tabac avec son spectacle Politiquement incorrect. *Il est le père de cinq enfants et le grand-père de 22 petits-enfants.*

COUP DE CŒUR POUR

🍃 **l'île Perry**

Dire que Jean-Marc Chaput est quelqu'un de fidèle relève de l'euphémisme. Voilà déjà près de 55 ans que le conférencier affectionne l'île Perry, un endroit où il retourne encore régulièrement. Cette petite île de 250 mètres de longueur est située dans la rivière des Prairies entre l'arrondissement d'Ahuntsic-Cartierville à Montréal et Laval-des-Rapides. «C'est un endroit magnifique, lance-t-il. C'est peu connu, donc peu fréquenté. En été, la saison où j'aime le plus m'y rendre, c'est très ombragé comme endroit à cause des gros arbres. »

Cette île, autrefois baptisée «île aux fesses», est une véritable oasis verte, selon Jean-Marc Chaput. «C'est un endroit qui me parle et qui me rappelle qu'il existe encore de très beaux coins à Montréal», affirme celui qui a découvert l'endroit dans les années 1950 alors qu'il était locataire d'une

maison (il habitait le sous-sol avec sa conjointe et son jeune fils), boulevard Gouin.

Il conserve d'ailleurs un excellent souvenir de cette époque. «C'était à l'été 1954. J'étais allé me baigner dans la rivière des Prairies avec mon fils aîné Patrick, qui n'avait qu'un an. Juste devant nous, il y avait l'île Perry. Ce moment m'a marqué parce ce que c'est là que ma vie a vraiment commencé. Je m'étais marié un an auparavant, je venais d'avoir un fils et j'avais trouvé ma première job. Encore aujourd'hui, quand je vais sur l'île, je m'assois sur un banc et je regarde l'endroit où je me suis baigné avec mon fils.»

Plus d'un demi-siècle plus tard, comme s'il était attiré par l'endroit, il habite en copropriété sur le boulevard Gouin, à un jet de pierre de l'île Perry.

L'île Perry fait office de parc. On y trouve des bancs et des tables de pique-nique. Lorsqu'il n'est pas en tournée ou que le travail ne lui prend pas tout son temps, le conférencier aime bien aller «prendre sa marche» sur l'île Perry. Il y va accompagné de sa conjointe et complice de toujours, Céline. Mais il aime bien y aller seul. «J'ai la chance de retourner dans ce coin-là. J'aime aller dans la nature, ça me permet de retrouver un sens à la vie», affirme Jean-Marc Chaput, en bon philosophe.

🍃 POUR EN SAVOIR PLUS

L'île Perry est reliée à Montréal et Laval par deux ponts ferroviaires. Le train de banlieue y transite. Mais une section des ponts fait office de piste cyclable. Autrement dit, on peut se rendre sur l'île à pied ou à vélo. Un sentier permet d'en faire le tour, ce qui représente une promenade d'environ un kilomètre. Il n'y a aucun bâtiment sur l'île, pas même une toilette sèche. Il y a des bancs et des tables de pique-nique. Les cyclistes adorent s'y arrêter. Depuis le terminus d'Ahuntsic, l'autobus 169 mène sur le boulevard Gouin jusqu'au pont de l'île Perry.

INFORMATION
Arrondissement Ahuntsic-Cartierville 514 872-5365

JEAN-PIERRE CHARBONNEAU

Élu député péquiste du comté de Verchères en 1976, Jean-Pierre Charbonneau a connu une brillante carrière politique. Il a aussi œuvré en journalisme et en animation radiophonique, tout en consacrant quelques années de sa vie à la coopération volontaire en Afrique centrale. En 2006, trente ans après son entrée à l'Assemblée nationale, Jean-Pierre Charbonneau prend sa retraite du monde politique. Il est aujourd'hui conférencier et auteur de textes de réflexion. On peut voir cet excellent communicateur sur les ondes de RDI à l'émission Le Club des ex.

COUP DE CŒUR POUR

❧ le Centre de la nature du mont Saint-Hilaire

«C'est un peu magique là-bas... Ça fait presque 30 ans que j'ai cette montagne devant les yeux », lance Jean-Pierre Charbonneau.

Il la trouve belle, cette montagne, mais il ne fait pas que l'admirer. Il en profite au maximum. «Le lac Hertel est extraordinaire. J'y fais du taï chi. Et, dans le parc, on peut faire des randonnées assez longues. Une fois au sommet, c'est exaltant. Le panorama est spectaculaire. On voit la rivière Richelieu, toute la région, les autres collines montérégiennes, le mont Royal, le parc olympique. Il y a même une colonie d'urubus qui plane au-dessus de nos têtes!» décrit-il.

C'est par ses fonctions de député qu'il a découvert l'endroit en 1978, à titre d'invité, quand l'Unesco a déclaré le mont Saint-Hilaire Réserve mondiale de la biosphère. Tombé sous le charme, il s'est mis à fréquenter la montagne par la suite.

Il s'y rend avec ses fils et avec sa conjointe, surtout en été et en automne «quand les arbres sont parés de couleurs», précise-t-il.

«C'est aussi un bel endroit pour faire découvrir aux gens le panorama de la région. Il y a trois ans, ma famille et moi y avons même emmené mon père, qui va bientôt avoir 80 ans. Avec lui, nous étions montés jusqu'au sommet du Pain de sucre. C'est une bonne marche!»

Lors du grand verglas de 1998, Jean-Pierre Charbonneau avait eu l'occasion de survoler sa précieuse montagne en hélicoptère. L'ampleur des ravages qu'il avait alors constatés lui revient encore en mémoire. «C'était spectaculaire comme dévastation. Heureusement que la nature a repris ses droits depuis.»

◆ POUR EN SAVOIR PLUS

Véritable monument naturel, le mont Saint-Hilaire est une des collines montérégiennes les mieux préservées dans la région de Montréal. Il abrite une flore et une faune variées, ainsi que de nombreux minéraux, dont certains sont uniques au monde. L'université McGill en est propriétaire depuis 1958. On y trouve également des écosystèmes forestiers exceptionnels composés de forêts rares et anciennes. La randonnée pédestre, la raquette et le ski de fond permettent de découvrir, sans se presser, toutes ses beautés. Entrée payante.

INFORMATION
Centre de la nature du mont Saint-Hilaire 450 467-1755
www.centrenature.qc.ca

ISABELLE CHAREST

*Isabelle Charest a commencé très jeune sa carrière en pa-
tinage de vitesse. Aux Jeux olympiques de 1994, à Lille-
hammer, elle gagne la médaille d'argent sur 3000 mètres
relais. En mars 1997, Isabelle devient la première femme
au monde dans cette discipline à patiner sous la barre des
45 secondes au 500 mètres. Une médaille de bronze au
3000 mètres relais aux Jeux de Nagano de 1998 vient gon-
fler son impressionnant palmarès. Elle termine sa carrière en
2002, en remportant le bronze au relais 3000 mètres aux
Jeux de Salt Lake City. Devenue nutritionniste, Isabelle
Charest est maintenant propriétaire du centre d'entraînement
Énergie Cardio de Granby.*

COUP DE CŒUR POUR

🍃 le chemin Richford ou « Joy Hill » à Frelighsburg

Durant sept ans, Isabelle Charest a filé le parfait bonheur dans sa petite maison de campagne du chemin Richford à Frelighsburg. Elle et sa famille vivent désormais à Bromont, mais ça ne l'empêche pas de garder en mémoire de précieuses images de cet endroit. Elle y retourne encore de temps à autre.

« J'ai tellement de beaux souvenirs liés à ce coin-là. Tous les jours, je m'émer-veillais devant tant de beauté. On ne s'habitue jamais! Les couchers de soleil, par exemple, étaient extraordinaires », relate-t-elle.

Native du Bas-du-Fleuve, Isabelle ne connaissait pas du tout Frelighsburg avant que son conjoint (l'ancien footballeur Steve Charbonneau) ne lui fasse découvrir ce village. « Steve est natif de Cowansville, non loin de là. On avait eu un coup de cœur pour une maison qu'on a complètement retapée. » De leur résidence, le couple avait d'ailleurs une vue imprenable sur les environs.

« Sur ce chemin, il y a des vergers partout. En mai, quand les pommiers sont en fleurs, c'est magnifique et ça sent bon! Les couleurs aussi me tou-chaient beaucoup, comme dans le temps des pommes, par exemple. Et puis l'été, il y avait plein de petits fruits! » raconte celle qui y trouvait son compte en toutes saisons.

« La première année, il y avait tellement de framboises que je n'arrivais pas à en ramasser le vingtième! Mais je ne voulais pas qu'elles se gaspillent! Cette année-là, j'en ai fait des confitures! » lance-t-elle, un sourire dans la voix.

Du temps où elle menait sa carrière d'athlète, Isabelle Charest profitait aussi de ce chemin pentu – surnommé Joy Hill à juste titre – pour s'entraî-ner. « J'y faisais beaucoup de vélo. Il y a une longue côte très difficile et très efficace. »

Mais elle ne faisait pas que cela. Elle s'y baladait également beaucoup, juste pour le plaisir. « J'habitais au cœur des vergers. Là-bas, tu te retrouves dans un autre monde. C'est un véritable retour aux sources. Ça me faisait du bien, surtout dans le temps où je m'entraînais et que je voyageais beaucoup », dit-elle.

Au début, ses deux chiens l'accompagnaient dans ses randonnées, puis bébé Noah a un jour pris la relève. « Je me le mettais sur le dos et j'allais me promener, dit-elle. Aujourd'hui, il s'émerveille beaucoup devant la nature. Ça lui vient de là, j'en suis certaine. »

🍃 Pour en savoir plus

Frelighsburg est classé parmi « Les beaux villages du Québec ». Son riche patrimoine architectural et ses paysages bucoliques en font un endroit tout à fait charmant. Niché au milieu des vergers, à l'ombre du mont Pinacle, le village s'étire paisiblement le long de la rivière aux Brochets. À chaque visite, on n'a qu'une envie : plonger au cœur de sa nature généreuse. Les sentiers de marche y sont nombreux. De longs circuits de vélo sillonnent la campagne, dont un parcours de 32 kilomètres qui fait découvrir les vieux cimetières de la région. Et s'il vous reste encore de l'énergie, pourquoi ne pas partir à la rencontre des artistes du coin ou à la découverte des nombreux produits du terroir qu'on y fabrique. Le chemin Richford accueille notamment le Domaine Pinnacle et le Clos Saragnat, deux maisons spécialisées dans la fabrication de cidre de glace.

Saint-Jean-sur-Richelieu • Granby Sherbrooke •
Salaberry-de-Valleyfield
Cowansville • Magog
• **Frelighsburg** Coatic

Information
Municipalité de Frelighsburg 450 298-5630
www.village.frelighsburg.qc.ca

VIRGINIE COOSSA

En 1999, Virginie Coossa a été découverte par Musique Plus, où elle a travaillé durant trois ans comme VJ et coanimatrice à différentes émissions. Cinq ans plus tard, cette bachelière en communications prend la barre de Palmarès, *une émission de variétés hebdomadaire en direct à la télé de Radio-Canada. Toujours en 2004, elle collabore aussi à l'émission* Deux filles le matin *sur les ondes de TVA. Virginie fait partie de l'équipe de la station de radio CKOI FM. Elle a également été reporter à* Flash, *en plus d'animer les quotidiennes de* Loft Story II, III *et* IV *et de* Suite 309.

COUP DE CŒUR POUR
🍃 le parc national du Mont-Saint-Bruno

Virginie Coossa a vu le jour et a passé toute sa jeunesse au pied du mont Saint-Bruno, en Montérégie. La montagne, et le lac du Moulin en particulier, l'ont vu grandir.

« C'était à cinq minutes de la maison, dit-elle. C'est là que je faisais mon jogging, que j'ai fait des feux avec mes amis à l'adolescence. Mes premières amours, mes premiers baisers, je les ai vécus sur le mont Saint-Bruno! C'est vraiment relié à pleins de souvenirs. »

L'animatrice se rappelle aussi y avoir fait du ski de fond, du ski alpin et de l'observation d'oiseaux dès son plus jeune âge. « Même s'il est originaire de l'île Maurice, mon père a toujours été un grand amoureux de la nature québécoise et de l'hiver. Il nous a transmis ça. »

Ses parents habitent encore à Saint-Bruno-de-Montarville. Elle n'a donc jamais tout à fait brisé le lien qui l'unissait à cet endroit. « J'y vais régulièrement. Plus souvent en famille qu'en amoureux. Je vais marcher avec mes parents. Il y a des sentiers de randonnée balisés et des lacs où la baignade et les embarcations sont interdites. On voit des gens faire du yoga ou de la lecture sur les quais. Et c'est l'endroit idéal pour faire des pique-niques. »

D'ailleurs, elle n'est pas près d'oublier les mémorables fêtes d'enfants qui se sont tenues là-bas. « Tous les enfants de la rue y étaient. On jouait à la cachette sur le bord du lac, on faisait des pique-niques et il y avait des gâteaux d'anniversaire. Ça fait partie de mes bons souvenirs. »

Si, pour Virginie Coossa, le mont Saint-Bruno est d'abord synonyme d'enfance, il rime aussi avec calme. « Ce que je ressens à cet endroit? C'est la relaxation totale, un grand ressourcement. On n'a pas le choix de fermer son cellulaire. De toute façon, les ondes ne se rendent pas toujours jusque-là! » lance-t-elle.

Fille d'extrêmes, elle assume aussi bien son côté citadin – et jet-set! – que son besoin viscéral de passer du temps à la « campagne ». Mais c'est surtout l'été qu'on risque de la croiser au beau milieu de la nature montarvilloise. « L'hiver, j'y vais moins que j'y allais », termine-t-elle.

🍂 Pour en savoir plus

Le parc du Mont-Saint-Bruno possède de nombreux attraits, dont les lacs Seigneurial, des Atocas, de la Tortue, du Moulin et des Bouleaux. On y trouve également un verger, un moulin historique, des quais d'observation et un réseau de 27 km de sentiers de randonnée à travers des forêts de feuillus bicentenaires. Sur place, il est possible d'observer l'une ou l'autre des 200 et quelques espèces d'oiseaux qui fréquentent le parc. La flore y est aussi riche et abondante. Outre la randonnée, les visiteurs y pratiquent le ski de fond, la raquette et le ski alpin. Le parc est ouvert toute l'année. Entrée payante.

INFORMATION
Parc national du Mont-Saint-Bruno 1 800 665-6527
www.sepaq.com

PHILIPPE COUILLARD

Philippe Couillard a d'abord été élu député libéral de Mont-Royal en 2003, avant de devenir représentant de la circonscription de Jean-Talon en 2007. Il a occupé le poste de ministre de la Santé et des Services sociaux du Québec dès son entrée en politique. Il a aussi été ministre responsable de la région de la Capitale nationale. Médecin réputé, M. Couillard a été chirurgien en chef au département de neurochirurgie de l'Hôpital Saint-Luc, à Montréal, puis au département de chirurgie du Centre hospitalier universitaire de Sherbrooke. Il a aussi participé à la fondation d'un service de neurochirurgie à Dhahran, en Arabie Saoudite. De 1996 à 2003, il a enseigné à la Faculté de médecine de l'Université de Sherbrooke.

COUP DE CŒUR POUR
🍃 la rivière Malbaie

« Si vous me demandez ce qu'est un moment de vie idéal pour moi, c'est d'être sur une rivière ou un lac... » Cette simple phrase résume parfaitement la passion que voue Philippe Couillard à la pêche à la mouche. Il en parle souvent et avec une ferveur peu commune, paraît-il. Son endroit de prédilection pour taquiner la truite ou le saumon : la rivière Malbaie.

Il y a bien la rivière du Gouffre, à Baie-Saint-Paul, qui fait son égal bonheur, mais s'il faut n'en choisir qu'une, le politicien opte pour la rivière Malbaie. « Il y a peu d'endroits au monde comme ça, qui sont à aussi courte distance d'une capitale. C'est presque unique », affirme celui qui passe beaucoup de temps à Québec.

« Ce sont de beaux sites, poursuit-il, autant au plan du paysage que des sons qu'on y entend. Les eaux sont rapides et claires. Avoir les deux pieds dans la rivière, c'est magique. Très tôt le matin ou à la brunante, quand les couleurs changent, ça a beaucoup de charme. »

La rapidité et le décor enchanteur de la rivière Malbaie l'impressionnent chaque fois. Il la descend souvent en canot, mais apprécie également aller à sa rencontre à pied. « Il y a de beaux sentiers pour accéder au site. Plus on approche, plus on entend le bruit de la rivière. L'anticipation fait partie du plaisir... », glisse M. Couillard.

« Cette passion pour la pêche à la mouche m'est venue d'un grand ami médecin, à qui j'avais enseigné la neurochirurgie. Au fond, c'est un transfert de connaissances ! » lance-t-il à la blague.

Du printemps jusque tard en automne, il la pratique avec bonheur. « C'est une activité totalement « déconnectante ». Là-bas, je me sens à l'écart de toute préoccupation matérielle, confie-t-il. Un jour, j'aimerais ne faire que ça de mai à octobre. »

La plupart du temps, Philippe Couillard se limite à des excursions d'une journée qu'il prend soin de faire avec des amis qui partagent la même passion. Il aime aussi s'y rendre avec des «gens du coin qui connaissent la rivière et qui ont plein d'histoires à raconter à son sujet».

Sa meilleure histoire à lui, c'est d'ailleurs sur la rivière Malbaie qu'il l'a vécue. Dans la même journée, il avait attrapé plusieurs truites arc-en-ciel avant de pêcher un magnifique saumon le soir venu. «C'est assez rare... Il faut être patient!»

POUR EN SAVOIR PLUS

Enclavée entre les plus hautes parois à l'est des Rocheuses canadiennes, la rivière Malbaie coule paisiblement dans Charlevoix et accueille pêcheurs, canoteurs et kayakistes. Le parc national des Hautes-Gorges-de-la-Rivière-Malbaie, joyau exceptionnel de la nature, offre l'un des plus beaux sentiers de randonnée pédestre, l'Acropole des Draveurs, qui mène au sommet le plus élevé du territoire (1048 mètres). Le secteur de l'Équerre vaut aussi le détour. Une piste cyclable y conduit. Le parc propose aux visiteurs de nombreuses activités animées. Entrée payante.

INFORMATION
Parc national des Hautes-Gorges-de-la-Rivière-Malbaie 1 800 665-6527
www.sepaq.com

Françoise David

Militante éprise de justice sociale, féministe, altermondialiste et écologiste, Françoise David est maintenant engagée en politique et codirigeante du parti Québec Solidaire. L'ancienne présidente de la Fédération des femmes du Québec est à l'origine d'événements marquants comme la marche des femmes contre la pauvreté « Du pain et des roses » et la marche mondiale des femmes contre la pauvreté et la violence, en 2000.

COUP DE CŒUR POUR

le cimetière Mont-Royal et le mont Royal

Françoise David éprouve un attachement pour le cimetière et la montagne elle-même. Pour elle, l'un va difficilement sans l'autre. Sa « stratégie classique », dit-elle, est d'entrer au cimetière par l'avenue du Mont-Royal, de parcourir l'endroit et de monter jusqu'au chemin Camillien-Houde, d'où elle atteint le chalet du mont Royal. Parfois, l'envie lui prend d'emprunter un autre trajet, toujours à partir de l'entrée du cimetière. « En haut, il y a une magnifique sculpture de Charles Daudelin et la vue sur Montréal est spectaculaire », raconte-t-elle.

Son affection pour cet endroit ne date pas d'hier. En fait, tout part d'un souvenir. Petite, Françoise David habitait Outremont et son grand-père vivait avec la famille. « Il m'emmenait au cimetière et on s'arrêtait parfois sur la tombe d'une petite fille. Il m'expliquait alors que c'était un petit ange monté au ciel. Je n'ai jamais eu peur des cimetières ! »

Elle n'y voit rien de morbide. Au contraire. «Là-bas, c'est un cimetière-jardin, avec des îlots entourés de sentiers et de verdure. Ce n'est pas seulement un endroit de recueillement, c'est aussi un lieu de détente absolument magnifique.»

En fait, la dame fréquente la montagne et le cimetière en toutes saisons, sauf en été. Elle apprécie particulièrement le printemps «pour écouter les oiseaux, pour le jardin de lilas en fleurs et pour l'eau qui dévale la montagne en une multitude de petits ruisseaux», décrit-elle avec passion.

Elle s'y rend souvent avec son conjoint, à qui elle a un jour fait découvrir l'endroit. Pour le couple, cette randonnée de deux heures en pleine nature est généralement propice aux discussions et au plaisir. Mais ils ne font pas que marcher; ils font aussi du ski de fond et du patinage sur le lac des Castors en hiver. Le sommet du mont Royal leur sert même de site de pique-nique le dimanche!

«Je me rappelle qu'une fois, nous étions partis, mon chum et moi, un dimanche matin. Montréal était encore endormie, il n'y avait presque personne sur la montagne, une petite neige était tombée. C'était idyllique.»

«J'ai développé un amour particulier pour cette montagne. Et un réflexe de protection aussi. Pour moi, ce n'est pas un lieu ordinaire...»

❧ POUR EN SAVOIR PLUS

Le mont Royal est considéré à juste titre comme le poumon de Montréal. Une foule d'activités y sont possibles, allant de la marche au ski de fond, en passant par le vélo, les pique-niques et l'observation d'oiseaux. Plusieurs entrées permettent d'accéder au parc du Mont-Royal à pied: par l'avenue du Parc, par l'avenue des Pins, par le chemin de la Côte-des-Neiges, par l'escalier Trafalgar ou le chemin Remembrance. Stationnement payant.

Ouvert en 1852, le cimetière Mont-Royal couvre 67 hectares de terrasses sur le flanc nord du mont Royal. Ce cimetière, l'un des plus beaux en Amérique du Nord, contient la dépouille de plus de 162 000 personnes, dont plusieurs Canadiens célèbres. On y accède par le portail du chemin de la Forêt, à Outremont.

INFORMATION
Cimetière Mont-Royal 514 279-7358   Mont Royal 514 843-8240
www.mountroyalcem.com   www.lemontroyal.qc.ca

LOUISE DESCHÂTELETS

Comédienne et animatrice, Louise Deschâtelets est présente dans l'univers artistique québécois depuis plus de 40 ans. À la télé, on l'a vue notamment dans Symphorien, Chambre en ville, Jamais deux sans toi *et* Les Ex. *Depuis 2005, elle fait partie de la distribution de* Virginie. *Comme animatrice, on lui doit* Les Carnets de Louise *et* La Guerre des sexes, *un jeu télévisé qu'elle a coanimé avec son ex-conjoint Guy Fournier. Depuis l'automne 2007, elle reçoit les confidences de plusieurs personnalités québécoises à son émission* Le confident, *diffusée au Canal Vox.*

COUP DE CŒUR POUR

🍃 l'estacade du pont Champlain

Grande marcheuse, Louise Deschatelets est une habituée de l'estacade du pont Champlain, qui relie la voie maritime du fleuve à l'île des Sœurs. Chaque extrémité de l'estacade est l'hôte d'une zone boisée où bancs et tables à pique-nique agrémentent les lieux. Mais ce qui intéresse le plus Mme Deschatelets, c'est de traverser le fleuve pendant que Montréal se réveille. Elle le fait seule ou avec des amis.

« C'est très fascinant comme endroit, dit-elle. Il y a toujours une petite brise et de nombreux goélands en plein vol. C'est un endroit que j'aime beaucoup. J'en profite parfois pour mémoriser mes textes. Je les lis chez moi et je les récite en marchant. J'aime observer les bateaux qui passent par la voie maritime et les gens d'origine asiatique qui viennent pêcher très tôt. »

Comme elle n'aime pas beaucoup l'hiver, la comédienne se fait un devoir de marcher quelques kilomètres tous les jours dès que le beau temps revient. Elle parcourt différents circuits sur l'île des Sœurs, son lieu de résidence. Elle est toutefois très attirée par l'estacade. « J'y vais le plus souvent et le plus tôt possible, parfois à 6 h 30, dit-elle. Je croise des cyclistes et des piétons, de même que les ouvriers qui partent en bateau pour aller travailler sur la structure du pont Champlain. »

Elle a découvert l'endroit il y a trois ans et ce, tout à fait par hasard. « Il y a une dame dans mon immeuble qui, tous les jours, va faire du yoga sur le bord du fleuve. Un matin, je l'ai croisée au retour de ma promenade et elle m'a dit : « Vous devriez aller marcher sur l'estacade. » J'ai changé ma routine depuis ce jour-là », explique Louise Deschâtelets.

🍃 POUR EN SAVOIR PLUS

L'estacade longe le pont Champlain à environ 300 mètres en amont. L'ouvrage en béton mesure près de 2 kilomètres de long. Il s'emprunte depuis la piste de l'île des Sœurs et mène à la voie maritime du Saint-Laurent et ensuite se transforme en piste qui rejoint le pont Victoria qui, lui, mène à la Rive-Sud. L'estacade est ouverte d'avril à novembre. Elle est accessible aux piétons et aux cyclistes. D'ailleurs, une piste cyclable y a été aménagée. Elle fait le lien entre la piste cyclable déjà existante à l'île des Sœurs et celle de la Rive-Sud.

INFORMATION
Les Ponts Jacques Cartier et Champlain Inc. 450 651-8771
www.pjcci.ca

Josée Deschênes

Comédienne connue de tous, Josée Deschênes a fait ses classes à Québec, où elle a cofondé la compagnie de théâtre Niveau Parking. Cette mère de deux garçons s'est fait connaître du grand public grâce à son rôle de Lison (Creton) dans La Petite Vie. *À la télévision, elle a également joué dans* La Part des anges, Avoir su *et* Tag. *Depuis quelques années, on la voit dans* L'Auberge du chien noir *et* Annie et ses hommes. *Au théâtre, chez Duceppe, elle a notamment joué dans* Jeanne et les anges *et dans* Fleur d'acier. *Au cinéma, on l'a vue dans* Le Polygraphe, Secret de banlieue *et* Les Aimants.

COUP DE CŒUR POUR
🍂 l'Auberge Matawinie

Josée Deschênes est une femme d'action, une organisatrice-née. Lorsqu'elle prend des vacances en famille, impossible pour elle de lâcher prise. Elle doit veiller sur ses deux fils, organiser différentes activités, etc. Mais depuis qu'elle a découvert l'Auberge Matawinie, à Saint-Michel-des-Saints dans Lanaudière, la comédienne ne vit plus ses vacances de la même manière.

«C'est comme un Club Med ou une base de plein air de luxe. Il y a des activités pour les adultes, pour les enfants ou pour toute la famille en même temps. Je peux donc laisser mes enfants entre les mains d'un moniteur et me plonger dans un livre ou aller faire une promenade en forêt. Mon *high* à moi, quand je suis en vacances, c'est de ne rien faire», lance la comédienne.

Sur place, Josée Deschênes se plaît à admirer la nature dans toute sa splendeur. Elle adore se promener en forêt, se baigner dans le lac, ou se la couler douce en pédalo. La bru de Pôpa et Môman dans *La Petite Vie* ne se fait pas prier pour une petite partie de volleyball en compagnie d'autres parents.

Ce qu'elle aime le plus, toutefois, c'est de s'asseoir au bout du quai, un baladeur sur les oreilles, et de se plonger dans un bon livre. « Et à la fin de la journée, on se retrouve toute la famille et on parle de ce qu'on a fait durant la journée », explique-t-elle.

Josée Deschênes a découvert cette base de plein air grâce à des amis, il y a environ sept ans. «Comme bien des gens, je me suis dit: je ne savais pas qu'un tel endroit existait au Québec! Tous les membres de la famille y trouvent leur compte. »

Depuis, elle en a arpenté les quatre coins l'été, l'automne et l'hiver. Elle a un faible pour l'été. L'un de ses meilleurs souvenirs est toutefois associé à une sortie spéciale en octobre 2007, dans la foulée de l'Halloween. «J'avais rarement vu mon plus jeune être aussi impressionné», dit-elle.

POUR EN SAVOIR PLUS

Située à environ deux heures de Montréal, l'Auberge Matawinie est un centre de villégiature aménagé en bordure du lac à la Truite, à Saint-Michel-des-Saints, dans la région touristique de Lanaudière. Il s'agit d'un centre de plein air haut de gamme qui offre aux familles et aux groupes une panoplie d'activités en toutes saisons. Sa formule club où des animateurs vous prennent en charge est très prisée. L'hébergement prend la forme de chambres communicantes en auberge ou en chalets. Parmi les activités offertes: ski de fond, raquette, glissade sur tube en hiver; canot, pédalo, planche à voile ou kayak en été, piscine intérieure, sauna, bain tourbillon et centre de santé.

Saint-Michel-des-Saints •   Shawinigan

Trois-Rivi•

Joliette •

Sorel

Saint-Jérôme •

Lachute •

Laval •

Saint-Hyaci

INFORMATION
Auberge Matawinie 450 833-6371 ou 1 800 361-9629
www.matawinie.com

Boucar Diouf

Humoriste, conteur, animateur et… océanographe, Boucar Diouf est connu pour son spectacle D'Hiver cité *présenté aux quatre coins du Québec. On le connaît aussi comme co-animateur de l'émission* Des kiwis et des hommes *à la télé de Radio-Canada. Boucar est le sixième d'une famille de neuf enfants. Il est né et a grandi au Sénégal. Il est arrivé à Rimouski au début des années 1990 pour y obtenir un doctorat en océanographie. Après une dizaine d'années à titre d'enseignant, il s'est mis à l'écriture de son spectacle. Il a écrit le livre* La Commission Boucar.

Coup de cœur pour
les rives du fleuve Saint-Laurent entre Rivière-du-Loup et Rimouski

Lorsqu'il a quitté son Sénégal natal pour venir étudier au Québec, Boucar Diouf a choisi de s'établir dans le Bas-Saint-Laurent. Pas étonnant que son coup de cœur nature soit les rives du Saint-Laurent entre Rivière-du-Loup et Rimouski. « L'estuaire du fleuve, c'est un endroit thérapeutique pour moi. C'est cet endroit qui m'a fait venir au Québec. Comme je fais la promotion des mélanges, j'ai une parfaite dépendance aux eaux saumâtres du fleuve dans cette région », relate-t-il.

L'eau revêt un caractère presque viscéral pour le Néo-Québécois. Même s'il fait régulièrement la navette entre Montréal et Québec, il affirme « garder un pied à terre » dans le Bas-Saint-Laurent. « J'ai besoin de l'eau, dit-il. J'ai passé 16 ans à Rimouski. Cette sensation, je ne la retrouve nulle part ailleurs. » Pour lui, tout est question d'adaptation. « Si les baleines des Tropiques viennent se nourrir dans le fleuve Saint-Laurent, pourquoi un Africain ne pourrait-il pas vivre à Rimouski ? » lance en riant le scientifique de formation.

Sa rencontre avec des bélugas l'a d'ailleurs marqué. « Un jour, j'étais seul sur le quai à Rivière-du-Loup. C'était au coucher du soleil. Un troupeau de bélugas est soudainement arrivé. Ils étaient tellement proches qu'on sentait presque leur souffle. Je me suis senti privilégié. »

C'est à pied que Boucar Diouf aime arpenter les berges du Saint-Laurent. Il le fait seul, en compagnie de sa conjointe ou encore avec des amis. À l'occasion, il enfourche sa bicyclette et emprunte la piste cyclable qui longe le fleuve à Rimouski. Sa période de prédilection pour s'y rendre : en mai et en juin, ce qu'il appelle « le printemps estival ». « Ça représente deux choses pour moi : le dégel et l'arrivée imminente de l'été. »

De toute évidence, ce ne sont pas les attractions touristiques en bordure du fleuve qui motivent Boucar Diouf. Observer dans le silence, voilà ce qui le grise. «Ce doit être une déformation professionnelle, mais quand je suis sur le bord du fleuve, j'aime regarder, sentir, goûter et toucher. Je m'interroge sur ce que je trouve. Je philosophe, quoi. À moins de trouver une très belle roche, je ne rapporte jamais rien chez moi.»

POUR EN SAVOIR PLUS

Il n'y a qu'une façon de prendre la mesure du fleuve Saint-Laurent entre Rivière-du-Loup et Rimouski : rouler sur la route 132 et faire des arrêts là où c'est possible. En roulant d'ouest en est, vous aurez accès entre autres à l'archipel des îles du Pot-à-l'eau-de-vie et l'île aux Lièvres, au site ornithologique du marais de Gros-Cacouna, à la Réserve nationale de faune de la baie de L'Isle-Verte, au parc national du Bic, etc. Bref, les rives sont accessibles à plusieurs endroits.

INFORMATION
Tourisme Bas-Saint-Laurent 418 867-3015 ou 1 800 563-5268
www.tourismebas-st-laurent.com

ANGÈLE DUBEAU

Angèle Dubeau a une feuille de route impressionnante. La violoniste a obtenu le premier prix au Conservatoire de musique de Montréal. Elle a étudié à New York et en Roumanie, a remporté de nombreux concours d'envergure et elle a vendu plus de 300 000 disques en carrière. Ses tournées l'ont amenée sur les scènes de plus de 25 pays. Fait plutôt rare chez les solistes en musique classique, elle a reçu un Disque d'or pour des ventes de 50 000 copies en un an. La musicienne a conçu et animé, dans les années 1990, des émissions, dont Faites vos gammes, *à la télévision de Radio-Canada, pour faire connaître la musique. Elle a également fondé en 1997 l'ensemble à cordes* La Pietà, *qui connaît un bon succès. La violoniste a été nommée chevalier de l'Ordre national du Québec et elle est membre de l'Ordre du Canada.*

COUP DE CŒUR POUR

🍃 le Domaine Saint-Bernard, à Tremblant

Le Domaine Saint-Bernard, à Tremblant, dans la région des Laurentides, exerce un attrait irrésistible sur la violoniste Angèle Dubeau. Et cela s'explique tout simplement. «J'y ai une résidence secondaire pas loin», dit-elle.

La musicienne apprécie le vaste domaine de 1500 acres «pour sa nature grandiose et son calme». Au fil du temps, elle y a développé ses habitudes. Elle s'y rend seule ou en famille. «Été comme hiver, peu importe la saison.»

Sur place, elle pratique tantôt la randonnée pédestre, tantôt la marche rapide. Elle se laisse charmer par les sentiers qui longent la rivière La Diable et s'accorde parfois un petit moment de repos en harmonie avec la nature. Lorsque le sol est couvert de neige, elle enfile ses skis de fond et explore le réseau de sentiers de 38 km.

Angèle Dubeau et sa famille ont aussi créé quelques petits rituels qui figurent parmi ses meilleurs souvenirs au Domaine. «Quand notre fille Marie était plus jeune, nous allions en randonnée pédestre», raconte-t-elle. La musicienne se chargeait du pique-nique et son mari veillait à ne pas oublier son «petit bagage de canne à pêche, vers, etc.» Tous les trois s'installaient sur le bord de la rivière pour manger, pêcher et «oublier tout le reste».

«Par contre, sur le chemin du retour, nous avions l'habitude d'effectuer plusieurs arrêts obligés pour nourrir les petits oiseaux avec nos restes de pain. À vrai dire, je m'assurais toujours d'apporter trop de pain. C'est un petit secret de maman bien inoffensif…», termine-t-elle sur une note joyeuse.

🕮 Pour en savoir plus

Le Domaine Saint-Bernard appartenait aux Frères de l'instruction chrétienne. Depuis 2000, une fiducie d'utilité sociale – la première au Québec – a été créée pour protéger le patrimoine naturel à perpétuité. Forêt, plaines, lacs et étangs composent ce territoire où une soixantaine d'espèces d'oiseaux ont été répertoriées. On y pratique la randonnée pédestre, le vélo, la baignade, la pêche et la méditation. Un pavillon d'astronomie a été aménagé sur place. L'hiver, un réseau de sentiers de ski de fond est mis à la disposition des fondeurs et des cours de ski y sont dispensés. Il y a aussi quelques sentiers pour la marche et la raquette. Aires de jeux, théâtre d'été, expositions et location d'embarcations. Entrée payante.

Rivière

Rivière

Domaine Saint-Bernard .

Saint-Jérôme .

Information
Domaine Saint-Bernard 819 425-3588
www.domainesaintbernard.org

GILLES DUCEPPE

Gilles Duceppe a été le premier député élu sous la bannière du Bloc québécois en 1990, lors d'une élection partielle dans le comté de Laurier–Sainte-Marie. Mais il était à l'époque officiellement enregistré comme candidat indépendant. Le Bloc, implanté exclusivement au Québec, a par la suite fait élire 54 députés, si bien que le parti obtiendra le statut d'opposition officielle à la Chambre des communes. M. Duceppe est chef du Bloc depuis la démission de Michel Gauthier en 1997. Il est le fils de l'acteur Jean Duceppe.

COUP DE CŒUR POUR
🍃 le parc du Mont-Royal

Le coup de cœur nature du chef du Bloc québécois à Ottawa se trouve à 20 minutes de sa résidence de Montréal. Il s'agit du parc du Mont-Royal, un endroit qu'il fréquente régulièrement avec sa conjointe Yolande Brunelle. Le couple y amène aussi à l'occasion ses deux petits-enfants et redécouvre alors les joies d'une promenade en calèche.

Gilles Duceppe arpente la colline montérégienne de la métropole de façon plus fréquente depuis 20 ans. Mais il se souvient d'avoir assisté à des concerts de musique classique au sommet du mont Royal, au chalet de la montagne, dans les années 1960. Une expérience qui devrait être répétée, croit-il d'ailleurs.

Il aime se rendre au parc du Mont-Royal parce qu'il peut profiter d'un « moment de calme ». « On peut marcher lentement. En plus, on a une vue exceptionnelle sur Montréal et la Rive-Sud », fait-il valoir.

Gilles Duceppe fréquente le parc en toutes saisons, mais il a un faible pour la raquette sous les flocons, question de se « tenir en forme ». Il apprécie la balade jusqu'au belvédère. Il aime bien visiter la Maison Smith à l'occasion et salue le réaménagement du chalet du lac des Castors.

Après des visites répétées, Gilles Duceppe trouve plaisir à se rendre au parc du Mont-Royal à longueur d'année. « Il y a des beaux jours dans toutes les saisons. Le printemps a une odeur. L'hiver, c'est magnifique en raquettes avec une petite neige. L'été, on fait des pique-niques et l'automne, il y a les couleurs. »

POUR EN SAVOIR PLUS

Avec ses 233 mètres d'altitude, le mont Royal est le point culminant de l'île de Montréal. C'est une petite oasis d'une superficie de 10 km^2 en plein cœur du centre-ville. On y retrouve des chênes et des érables bicentenaires. Il y a environ 30 kilomètres de sentiers pour la marche. Les vélos roulent sur le chemin Olmsted, qui mène au belvédère. En hiver, ski de fond, patin, raquette et glissade (chambres à air en location). Il n'y a aucun droit d'accès, mais le stationnement est payant.

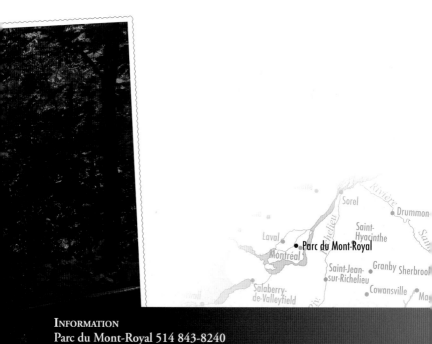

INFORMATION
Parc du Mont-Royal 514 843-8240
www.lemontroyal.qc.ca

MARIO DUMONT

Cofondateur et actuel chef de l'Action démocratique du Québec (ADQ), Mario Dumont a été élu député de la circonscription de Rivière-du-Loup pour la première fois aux élections générales du 12 septembre 1994. Il n'a jamais été défait par la suite. Politicien de centre-droite, il se dit « autonomiste » plutôt que souverainiste. Ce bachelier en économie a pris tout le monde par surprise en faisant élire 41 députés de l'ADQ à l'Assemblée nationale du Québec en avril 2007. Il occupe depuis le siège de chef de l'Opposition officielle. Père de trois enfants, il possède une ferme dans le Bas-Saint-Laurent.

COUP DE CŒUR POUR

🍃 le parc national du Bic

Pour Mario Dumont, le mot nature n'a pas la même définition que pour un résidant de la ville. Cet homme est propriétaire depuis 20 ans d'une ferme à Cacouna, où il habite avec sa femme et ses trois enfants. Dans ses temps libres, le jeune politicien aime néanmoins se retrouver dans la nature, surtout au parc national du Bic, près de Rimouski.

« J'ai découvert l'endroit il y a une quinzaine d'années et j'y suis allé 10-12 fois depuis. C'est à une heure de chez moi. C'est l'un des plus beaux parcs que je connaisse. Il longe le fleuve et il est protégé par les montagnes. Et sur le plan de l'aménagement, c'est un parc très bien organisé qui a une bonne réputation », dit le chef de l'ADQ.

Mario Dumont se rend au Bic été comme hiver, mais de façon sporadique. « Je ne suis pas assez maniaque de plein air », dit-il. Qu'à cela ne tienne, ses dadas sont la randonnée pédestre, la raquette et les pique-niques dans la nature. Et, bien sûr, le golf. Il y a justement un joli terrain de golf (sur lequel M. Dumont a déjà joué) situé tout près du parc du Bic.

Les sorties en famille permettent à Mario Dumont de « redécouvrir le parc d'une autre façon », dit-il. À cet égard, une promenade en raquettes, en mars 2008, a particulièrement marqué le député de Rivière-du-Loup. « Il faisait soleil, moins deux degrés et tout le monde était en forme. Nous avions une collation dans notre sac à dos. Ça a été un après-midi parfait », relate-t-il.

D'ailleurs, maintenant que les enfants de la famille Dumont sont à un âge où il devient plus agréable de les amener en nature (la plus jeune a 5 ans), Mario Dumont affirme qu'il se rendra plus souvent au parc national du Bic. D'autant plus qu'il affirme n'avoir pas entièrement exploré l'ensemble du parc.

« Quand nous avons fait notre sortie en raquettes, ça a été le début d'une nouvelle ère pour les activités familiales. Et cette ère va durer jusqu'à ce que notre plus jeune soit assez grande et ne veuille plus nous suivre, ma femme et moi », explique le politicien.

POUR EN SAVOIR PLUS

Le parc national du Bic se laisse explorer en toutes saisons. En été, on y pratique la randonnée pédestre (25 km), le vélo (15 km), les excursions en kayak ou en pneumatique. Le phoque commun, l'animal emblème du parc, est facile à observer entre juillet et septembre. Accompagné du phoque gris, il a l'habitude de se reposer, à marée basse, sur les rochers de l'anse aux Épinettes et de l'anse aux Bouleaux ouest. Les ornithologues y trouvent leur compte, car plus de 232 espèces d'oiseaux ont été observées sur place. En hiver, les sentiers de ski nordique (15 km), de raquette (20 km), de trottinette des neiges et de randonnée pédestre sur neige attendent les visiteurs. Possibilité de passer la nuit dans un igloo ou une tente de prospecteur en location. Entrée payante.

INFORMATION
Parc national du Bic 418 736-5035
www.sepaq.com

Pierre Falardeau

Cinéaste, scénariste et polémiste, on lui doit la très populaire trilogie des films d'Elvis Gratton. Il a réalisé à ce jour près d'une vingtaine de longs métrages et de documentaires, dont Le Party, 15 février 1839, Octobre, Le Steak, Le temps des bouffons, *etc. Sur son blogue, ce souverainiste notoire reconnu pour son franc-parler se définit comme « un homme d'un autre siècle (…) qui se bat pour la liberté, la liberté sous toutes ses formes, la mienne, celle de mon peuple, celle de tous les peuples ».*

Coup de cœur pour
🍃 le parc national des Îles-de-Boucherville

Lorsqu'il veut fuir la jungle montréalaise sans avoir à se rendre dans les Laurentides ou les Cantons-de-l'Est, Pierre Falardeau aime se réfugier au parc national des Îles-de-Boucherville. « Ce n'est pas parce que c'est un endroit si extraordinaire. Mais quand on le compare aux Galeries d'Anjou ou à la rue Sainte-Catherine, c'est un véritable paradis », dit-il. Le cinéaste n'en revient d'ailleurs pas qu'une telle oasis de paix existe à moins de 20 minutes du centre-ville de Montréal. Il s'étonne du nombre élevé de chevreuils, de castors, de renards et de hérons qu'il a pu y croiser au fil des ans.

Le cinéaste a découvert le parc national des Îles-de-Boucherville tout à fait par hasard. « Je me cherchais un nouvel endroit pour faire du kayak dans les environs de Montréal et c'est comme ça que je suis tombé dessus », explique celui qui a visité l'endroit près d'une trentaine de fois à ce jour.

Même s'il s'y rend à l'occasion avec sa conjointe ou ses enfants, Pierre Falardeau est un adepte de plein air en solitaire. En été, quand l'envie lui prend, il installe son kayak sur le toit de sa voiture et hop, direction Boucherville. Ce sportif de longue date ne se limite pas au kayak. La course à pied, la randonnée pédestre, le vélo et le ski hors-piste, il connaît. Ses saisons préférées pour visiter le parc national des Îles-de-Boucherville sont l'hiver et le printemps. « Le printemps, c'est magique ; et l'hiver, quand c'est assez gelé, tu passes d'une île à l'autre en ski de fond », dit-il.

Et ce n'est pas le mercure sous zéro qui le freine. « Tu sais comment les tabar… d'épais des médias disent tout le temps qu'il fait froid en hiver au Québec. Eh bien, une fois, même s'il faisait moins 25 degrés Celsius, je suis allé faire du ski hors-piste au parc. Ça a été *tough*, mais maudit que ça a été agréable. »

☙ POUR EN SAVOIR PLUS

D'une superficie d'à peine 10 km² avec ses prairies, forêts, milieux aquatiques et semi-aquatiques, il s'agit du parc national le plus proche de la région montréalaise. Il est situé près du tunnel Louis-Hippolyte-Lafontaine. Les cinq îles qui composent le parc, dont trois sont accessibles au public (Sainte-Marguerite, de la Commune et Gros-Bois), sont un lieu privilégié pour l'observation du renard roux (l'animal emblème du parc) et du cerf de Virginie. On y a recensé plus de 190 espèces d'oiseaux. Peu importe la saison, on peut y pratiquer une panoplie d'activités. Entrée payante.

INFORMATION
Parc national des Îles-de-Boucherville 450 928-5088
www.sepaq.com

Marie-Thérèse Fortin

Casino, Les hauts et les bas de Sophie Paquin, Un monde à part, 4 et demi sont autant de téléromans où Marie-Thérèse Fortin a laissé sa marque. Un monde à part lui a d'ailleurs valu le Gémeau du meilleur premier rôle féminin – téléroman, en 2006. Mais c'est d'abord par le théâtre, à Québec, qu'elle s'est fait connaître. Elle a figuré dans plusieurs productions en plus d'agir à titre de directrice artistique du Théâtre du Trident de 1997 à 2003. Elle s'est par la suite installée à Montréal. Marie-Thérèse Fortin dirige le Théâtre d'Aujourd'hui depuis 2004. À l'occasion, elle y va aussi de quelques tours de chant où elle interprète le répertoire de Barbara.

COUP DE CŒUR POUR

🍃 le village de Saint-Octave-de-Métis

Marie-Thérèse Fortin ne prend pas de détour. «Je suis très chauvine, dit-elle d'emblée. Le coin où j'aime m'évader avec ma petite famille est le village d'où je viens et où mon frère exploite toujours la ferme familiale ancestrale : Saint-Octave-de-Métis.»

Selon elle, il faut pénétrer environ cinq kilomètres dans les terres à la hauteur des Jardins de Métis, dans la région touristique de la Gaspésie, pour comprendre la raison de son attachement à ce coin de la province. «La position géographique est extraordinaire. Le village est sur un plateau surélevé qui fait face au fleuve. Par temps clair, on voit la côte nord. Et les couchers de soleil rivalisent avec ceux de Kamouraska», assure-t-elle.

« Quand j'étais jeune, nous habitions une maison centenaire avec une grande véranda. J'aimais m'asseoir sur la véranda pour regarder le soleil se coucher. Je cueillais une branche de muguet. Mon père travaillait dans les champs. La qualité de la lumière était extraordinaire. »

Les attraits de Saint-Octave-de-Métis ne s'arrêtent pas là. Les routes y sont sinueuses et vallonnées et les maisons, bien préservées. Restaurée avec soin, l'église du village a une acoustique « à jeter par terre », selon Marie-Thérèse Fortin.

Même si elle a quitté le nid familial à l'âge de 18 ans, la comédienne et directrice de théâtre retourne régulièrement dans son patelin, en compagnie de son conjoint et de leurs deux enfants. Ce coup de cœur est d'ailleurs partagé par toute la famille. « Mon chum est un gars de la ville qui est né à Québec. Il est abasourdi par la beauté du paysage. Mes enfants adorent aller là », dit-elle.

L'automne est la saison de prédilection de Marie-Thérèse Fortin pour s'y rendre. En raison des couleurs qui embrasent les érablières et de la qualité de la lumière. Et pour les longues promenades qu'elle y fait.

Elle aime aussi s'imprégner du paysage sur deux roues. « Quand on se dirige vers l'est, dans le rang 3, on découvre un point de vue incroyable sur le fleuve et la côte nord. De là, on peut assister aux plus beaux couchers de soleil au monde. »

🍃 POUR EN SAVOIR PLUS

Situé sur un plateau, le petit village de Saint-Octave-de-Métis compte à peine 500 âmes et offre une vue imprenable sur la région. Il est situé aux portes de la Gaspésie et à un jet de pierre des magnifiques Jardins de Métis. On trouve aussi dans les environs le parc national du Bic ainsi que la ville de Rimouski, l'île Saint-Barnabé et les Sentiers d'interprétation du littoral et de la rivière Rimouski. Les plus aventureux pourront s'éclater au parc de sentiers aériens de la Forêt de Maître Corbeau, à Saint-Gabriel-de-Rimouski. Bref, la région ne manque pas d'attraits.

INFORMATION
Saint-Octave-de-Métis 418 775-2996

GUY FOURNIER

Guy Fournier a marqué le paysage télévisuel du Québec, entre autres avec les téléromans Peau de banane, Jamais deux sans toi *et* Les héritiers Duval. *Il a également signé quelques films, dont* Maria Chapdelaine. *Dans les années 1980, il a coanimé, avec sa conjointe de l'époque, Louise Deschâtelets, le jeu-questionnaire* La Guerre des sexes. *Il est aussi à l'origine du lancement de Télévision Quatre Saisons (TQS) en 1986. M. Fournier a été président de l'Académie canadienne du cinéma et de la télévision de 2003 à 2005. Il a également été président du conseil d'administration de la Société Radio-Canada en 2005. Il a démissionné de ce poste un peu plus d'un an plus tard. Doté d'un franc-parler légendaire, Guy Fournier, frère jumeau du cinéaste Claude Fournier, est un épicurien dans l'âme. Il a publié trois livres de recettes.*

COUP DE CŒUR POUR
🍂 les Îles-de-la-Madeleine

Il y a de ces cadeaux d'anniversaire dont on se souvient très longtemps. Guy Fournier en sait quelque chose. Son épouse lui a offert il y a environ huit ans un séjour aux Îles-de-la-Madeleine. Depuis, il y retourne une ou deux fois par année. « Sauter une année, c'est comme un drame, tellement j'aime ça. J'ai eu un vrai coup de foudre », lance-t-il.

Les Îles-de-la-Madeleine lui font un tel effet qu'il ne quitte jamais l'endroit « sans verser quelques larmes », assure-t-il. « Chaque fois que j'y vais, je veux tout vendre et y vivre un peu en ermite. Mais les gens me disent de ne pas faire ça, que l'hiver est long là-bas… », raconte-t-il.

L'auteur aime ce coin pour le dépaysement qu'il procure. « On est en pleine mer. On n'a pas l'impression d'être au Québec. Les falaises sont rouges. Il vente presque tout le temps. Il n'y a pas beaucoup d'arbres. On croit vraiment être ailleurs. Le paysage me bouleverse. Ça a quelque chose d'un peu austère. J'aime aussi les gens des Îles. Ils sont chaleureux, rieurs », dit-il.

Autre bon point en faveur des résidants de l'archipel, selon Guy Fournier. « Les gens sont conscients de vivre dans un milieu fragile. Ce sont sûrement ceux parmi les Québécois qui sont le plus préoccupés par le recyclage. Si tout le monde faisait comme aux Îles, les déchets seraient réduits de moitié. »

Jusqu'à maintenant, l'épicurien a toujours visité les Îles-de-la-Madeleine avec sa conjointe, durant l'été. « Mais je me promets d'y aller en hiver », assure-t-il. Les longues promenades sur la plage sont l'activité de prédilection du couple durant la saison chaude.

Et ne parlez pas de boulot à Guy Fournier lorsqu'il est sur l'archipel. « C'est le seul endroit où je n'ai pas le goût de travailler. Je jase, je flâne, je me promène où il y a du foin de mer, des fleurs sauvages. » La belle vie, quoi!

🍃 POUR EN SAVOIR PLUS

Composé de onze îles, dont sept sont reliées entre elles par d'étroites dunes de sable, l'archipel des Îles-de-la-Madeleine est un pays de plages, de vallons et de falaises rouges. Situé au cœur du golfe du Saint-Laurent, cet ensemble d'îles prend la forme d'un croissant qui s'allonge sur 65 kilomètres. Le climat maritime dont jouissent les Îles-de-la-Madeleine rend le temps plus clément à chacune des saisons. L'hiver y est doux et l'été sans canicule. C'est d'ailleurs l'endroit au Québec où il y a le moins de jours de gel dans l'année. On peut séjourner dans l'un des établissements hôteliers de l'endroit ou bien, comme plusieurs visiteurs le font, louer l'une des jolies maisons colorées qui caractérisent les Îles. Outre l'avion, dont le prix du billet supplante celui d'un vol pour l'Europe, la façon la plus prisée de se rendre sur l'archipel est en bateau, à partir de Montréal, de Chandler ou de l'Île-du-Prince-Édouard.

Saint-Laurent

Îles-de-la-Madeleine *Cap-aux-Meules*

INFORMATION
Tourisme Îles-de-la-Madeleine 418 986-2245 ou 1 877 624-4437
www.tourismeilesdelamadeleine.com

Pierre Gingras

Journaliste au quotidien La Presse *depuis plus de 30 ans, il se spécialise en horticulture et en ornithologie. Il a rédigé la chronique ornithologique* À tire-d'aile *sur l'observation d'oiseaux pendant 20 ans. Ce diplômé en biologie a fait ses débuts journalistiques dans le domaine de la chasse et de la pêche. Chroniqueur radio à ses heures, cet épicurien cuisine régulièrement aux côtés de Ricardo à la télévision de Radio-Canada. Il est l'auteur des livres* Secrets d'oiseaux *et* Les bulbes.

COUP DE CŒUR POUR
🍃 le parc national d'Anticosti

Pas de doute à y avoir : le coin nature préféré de Pierre Gingras est l'île d'Anticosti, dans le golfe du Saint-Laurent. «C'est un monde à part. Les paysages y sont diversifiés. Il y a des canyons, des lacs, des fossiles. Même si on ne peut s'y baigner (l'eau est trop froide), la mer est accessible partout. Et pour quelqu'un comme moi qui aime la faune et la flore, c'est un endroit extraordinaire. Il y a des chevreuils partout, c'est incroyable», dit le journaliste.

Pierre Gingras n'aime pas retourner aux mêmes endroits lorsqu'il voyage. «Pourtant, lance-t-il, ça fait 10 ou 12 fois que je vais sur l'île d'Anticosti et je suis sur le point d'y retourner encore cette année. C'est peu fréquenté comme endroit ; je suis donc sûr d'avoir la paix et de ne rencontrer personne ou presque. »

Le scribe a découvert l'endroit dans les années 1970 alors qu'il était jeune journaliste et qu'il collaborait à *Québec Chasse et Pêche* (l'ancêtre de *Sentier Chasse-Pêche*). «J'y ai pris mon premier saumon! C'était lors de mon premier séjour. J'étais avec des pêcheurs professionnels. Ils m'avaient envoyé dans une rivière où il n'y avait supposément pas trop de saumons. J'ai été le seul cette journée-là à en pêcher un! »

Pierre Gingras séjourne sur Anticosti avec sa douce moitié principalement pour y faire de l'observation. «Je pêche aussi de la truite de mer. J'aime me baigner, surtout dans les rivières au fond des canyons. J'apporte mon masque et des fois, je vois des truites ou des saumons en dessous de moi. Je me suis souvent retrouvé sous une chute, un peu comme Jungle Jim le faisait», relate-t-il en riant.

🍃 POUR EN SAVOIR PLUS

L'île d'Anticosti est 17 fois plus grande que l'île de Montréal. Les distances sont grandes entre les points d'intérêt sur l'île et les axes routiers sont en terre. On s'y promène en 4 x 4 équipés de radio-émetteurs. La Sépaq y offre des forfaits comprenant l'hébergement et la location d'une voiture. On s'y rend en avion depuis Montréal, Québec, Mont-Joli, Sept-Îles, Gaspé ou Havre-Saint-Pierre. Un traversier fait aussi la navette entre Havre-Saint-Pierre et Port-Menier, une fois par semaine.

Havre-Saint-Pierre

Détroit de Jacques-Cartier

Parc national d'Anticosti

Détroit d'Honguedo

Sainte-Anne-des-Monts

INFORMATION
Parc national d'Anticosti 418 535-0156
www.sepaq.com

LOUISE HAREL

Louise Harel a été élue députée du comté de Maisonneuve en 1981 pour le Parti québécois. Depuis, le nom du comté a été rebaptisé Hochelaga-Maisonneuve, mais les électeurs ont réélu sans interruption Mme Harel, qui est toujours en poste. Elle a été la première femme à occuper le poste de présidente de l'Assemblée nationale du Québec. Elle a aussi été chef de l'Opposition de juin 2005 à août 2006, après la démission de Bernard Landry. Elle a dirigé quelques ministères, dont celui de l'Emploi et de la Solidarité, ainsi que les ministères des Affaires municipales et de la Métropole.

COUP DE CŒUR POUR
🍃 le village Les Éboulements et l'Auberge de nos Aïeux

La députée et ex-ministre péquiste Louise Harel nourrit une profonde affection pour Les Éboulements, dans Charlevoix, et l'Auberge de nos Aïeux, sise au cœur du village. Elle fréquente les lieux depuis 30 ans. Son premier mari, aujourd'hui décédé, Michel Bourdon, lui a transmis sa passion pour ce coin du Québec. Preuve de la force de ce coup de cœur, c'est au cimetière de Les Éboulements qu'il repose.

«Il est né à Montréal, mais il a été journaliste à Sept-Îles. Il a découvert Les Éboulements en faisant la route Montréal-Sept-Îles. C'est un coup de cœur qu'il m'a fait partager», explique-t-elle.

«C'est d'une beauté impressionnante. On a un peu l'impression que c'est le berceau du Québec. De là, on voit l'île aux Coudres, le fleuve et les montagnes. C'est une nature bouleversante.»

Le couple Harel-Bourdon a adopté l'Auberge de nos Aïeux dès les années 1970. L'endroit a été témoin de plusieurs moments marquants de leur vie. Bien des anniversaires y ont été célébrés. Leur fille, Catherine, a commencé à fréquenter l'endroit à l'âge de six mois. Devenue une jeune femme, elle s'est mariée à Saint-Joseph-de-la-Rive, un village voisin, et c'est à l'Auberge que la famille s'est réunie le matin des noces.

C'est d'ailleurs au tour de la troisième génération de Harel-Bourdon de vibrer pour Les Éboulements. Louise Harel aime s'y rendre avec ses deux petits-enfants. «J'aime y aller l'été, en juin en particulier, à cause des pommiers en fleurs. C'est une pure merveille», dit-elle.

L'hiver, la députée d'Hochelaga-Maisonneuve pratique le ski de fond et l'été, la baignade dans la piscine de l'Auberge. «Mais le sport le plus indiqué, c'est la marche. On peut descendre jusque sur le bord du fleuve et faire de longues promenades», dit-elle.

🌿 Pour en savoir plus

Un tremblement de terre en 1663 est à l'origine du nom de la municipalité. Il a provoqué un important glissement de terrain qui a modifié cette partie du littoral. Autre note historique : Les Éboulements est le berceau de la famille Tremblay. Pierre Tremblay a fait l'acquisition de la seigneurie des Éboulements en 1710. Le paysage est surtout agricole dans cette partie de la région de Charlevoix. L'industrie touristique y est néanmoins importante. Plusieurs activités peuvent y être pratiquées en toutes saisons au village ou dans la région : randonnée pédestre, croisière d'observation des baleines, visite du musée de Charlevoix, pêche, ski de fond, ski alpin, traîneau à chiens, etc.

INFORMATION
Municipalité Les Éboulements
418 635-2755
www.leseboulements.com

Tourisme Charlevoix
1 800 667-2276
www.tourisme-charlevoix.com

MARIE-ÈVE JANVIER

Marie-Ève Janvier a participé aux comédies musicales Notre-Dame de Paris *et* Les Dix commandements, *avant de prêter sa voix à* Don Juan, *qui a été présenté au Canada, en France et en Corée du Sud. En 2007, la jeune chanteuse a réalisé un grand rêve en lançant son premier album solo, simplement intitulé* Marie-Ève Janvier. *Elle a offert au public une série de spectacles en duo avec son amoureux, le chanteur Jean-François Breau. Engagée, Marie-Ève est marraine du concours Jeunes espoirs Enfant-Soleil et elle appuie la cause des Auberges du cœur.*

COUP DE CŒUR POUR

🍃 le Centre d'interprétation de la nature du lac Boivin, à Granby

Née dans la petite municipalité de Roxton Pond, non loin de Granby, Marie-Ève Janvier a découvert le Centre d'interprétation de la nature du lac Boivin (CINLB pour les intimes) alors qu'elle était toute jeune.

«J'adore cet endroit. La première fois, c'est ma gardienne qui nous avait emmenés là-bas, mon frère et moi. C'était l'hiver et on avait nourri les petites mésanges à tête noire. De les voir venir manger au creux de nos mains, ça m'avait marquée... et ça m'impressionne encore aujourd'hui! Par la suite, les visites au centre sont devenues une activité familiale», raconte-t-elle.

Chaque fois qu'elle foule les sentiers, elle se sent dans son élément. «Il y a le calme, les odeurs. Quand les choses vont moins bien pour moi, il faut que je marche. J'aime marcher et respirer l'air autour. Ça purifie le corps et l'esprit en même temps.»

À pied, elle traverse les différents milieux qui font le charme du CINLB. «Il y a le boisé, qui me rappelle l'enfance, la prucheraie, le marécage. Du côté de l'eau, on croise des canards. Pour moi, c'est la nature à son état le plus pur... Et en plus, là-bas, les gens se disent bonjour. Tout le monde est plus relax, plus souriant.»

Généralement, c'est à deux qu'elle préfère s'y promener, en amoureux. «Quand on a décidé de s'installer à Granby, Jean-François et moi, je lui ai fait découvrir l'endroit. Il a tellement aimé ça qu'il voulait faire le tour une deuxième fois!»

La jeune femme fréquente le centre environ une fois par saison, mais elle avoue avoir un petit faible pour l'automne. «À ce temps de l'année, le soleil est chaud, mais l'air est frais. On enfile un gros chandail pour aller dehors. J'adore ça.»

En fait, on l'y croiserait bien plus souvent si son toutou pouvait faire la marche avec elle. «Malheureusement, on n'a pas le droit d'emmener les chiens...», confie celle qui sort rarement à l'extérieur sans son compagnon à quatre pattes.

🍃 **Pour en savoir plus**

Le Centre d'interprétation de la nature du lac Boivin est un trésor dont les Granbyens profitent abondamment. Été comme hiver, ils sont nombreux à s'y rendre pour se perdre en nature, à deux pas du centre-ville. Que les promeneurs choisissent d'emprunter le populaire sentier de la Prucheraie ou celui, moins fréquenté et plus sauvage, de la Randonnée, ils trouvent à tout coup le dépaysement et la paix. Mésanges à tête noire (qu'on peut nourrir de graines de tournesol), tamias rayés, canards colverts et rats musqués accompagnent les visiteurs tout au long de la randonnée. À l'entrée du site, une boutique offre une panoplie de livres et d'autres articles à l'intention des ornithologues et des mordus de nature. Le CINLB est ouvert en toutes saisons du lever au coucher du soleil. Contribution volontaire.

Information
Centre d'interprétation de la nature du lac Boivin 450 375-3861
www.cinlb.org

LYNDA JOHNSON

Lynda Johnson est surtout connue pour son rôle d'Esther Bérubé dans la télésérie Rumeurs, *rôle qu'elle a tenu de 2002 à 2007. Personnifier Esther lui a d'ailleurs valu le prix de la meilleure interprétation féminine – comédie au Gala des Gémeaux en 2003. Autre personnage marquant dans sa carrière: celui de Maryse Lemieux qu'elle a interprété de 1994 à 2001 dans le téléroman* 4 et demi. *On l'a également vue à la télévision dans* Km/h, La vie, La vie, Chartrand et Simone. *Lynda Johnson a aussi foulé à quelques reprises les planches des théâtres depuis 1995.*

COUP DE CŒUR POUR
Le parc national des Hautes-Gorges-de-la-Rivière-Malbaie

Lynda Johnson a rarement mis les pieds au parc des Hautes-Gorges, mais le souvenir qu'elle en garde est bien imprégné dans sa mémoire, même si le temps a filé depuis sa visite.

« Je me souviens encore de l'émotion que j'ai eue à la découverte du paysage en sortant de la voiture: les deux falaises qui plongent dans la rivière et qui forment une gorge. C'était un mélange de vertige et d'angoisse. On n'a pas l'habitude de voir de tels paysages au Québec. C'était magnifique et un peu étouffant à la fois. »

Il y a environ 10 ans que la comédienne a fait un arrêt « avec son chum » à ce parc national de la région de Charlevoix qui abrite les plus hautes parois rocheuses de l'est du Canada. Le couple était en route pour un séjour en Gaspésie. C'était en août. Un bon moment pour découvrir l'endroit.

« On a fait du vélo le long de la rivière et on s'est baignés. Je me souviens qu'il y avait une chute. Tout ça avait un côté féerique et apaisant. On avait l'impression d'être loin, d'être ailleurs. On avait perdu la notion du temps. »

Tous ces ingrédients (paysages, eau, repos) ne sont pas sans déplaire à Lynda Johnson qui, à l'instar de ses parents, accorde une grande importance à la période des vacances, moment de l'année par excellence pour décrocher. « J'aime me sentir dépaysée », dit-elle. Pas étonnant alors que le parc des Hautes-Gorges lui ait fait cette impression.

La maman de trois enfants dit aussi aimer la proximité de l'eau et « voir loin ». C'est pourquoi elle conserve également de bons souvenirs des Jardins de Métis et du parc national du Canada Forillon. Plus près d'elle, à Montréal, elle arrive aussi à se sentir « dépaysée » au parc Lafontaine et à l'île Sainte-Hélène. « On apporte un pique-nique, on fait de la bicyclette. Ça ne coûte pas cher », dit-elle.

🐾 POUR EN SAVOIR PLUS

Le parc national des Hautes-Gorges-de-la-Rivière-Malbaie a plus d'un attrait. D'abord, ces impressionnantes parois rocheuses qui culminent à 1000 mètres d'altitude. Ensuite, la rivière Malbaie qui coule au creux d'impressionnantes gorges. Autre curiosité : quelques caribous des bois fréquentent des secteurs isolés du parc. Sur place, on peut pratiquer la randonnée pédestre (courte et longue), le vélo, le canot et le kayak, la pêche. Des activités d'interprétation de la nature et des croisières en bateau-mouche sont offertes. Camping sur place. L'hiver, le ski est possible dans le sentier de la Traversée de Charlevoix. Entrée payante.

Saguenay

Fleuve Sa

Parc national
des Hautes-Gorges-
de-la-Rivière-Malbaie

Rivière-du-Loup

La Malbaie

INFORMATION
Parc national des Hautes-Gorges-de-la-Rivière-Malbaie
1 866 702-9202 ou 418 439-1227
www.sepaq.com

JOÉ JUNEAU

Ancien hockeyeur professionnel, Joé Juneau a mis fin à sa carrière en 2004 après douze ans dans la Ligue nationale. Il a joué son dernier match dans l'uniforme du Canadien de Montréal. Toute sa vie, Joé Juneau a tracé son propre chemin vers un destin hors de l'ordinaire. Ingénieur de formation, homme d'affaires, pilote accompli, passionné de grands espaces et militant pour la protection des forêts québécoises, Joé Juneau a aussi mis sur pied un programme sport-études (hockey) dans 14 communautés du Nunavik pour lutter contre le décrochage scolaire et la criminalité chez les jeunes Inuits. Son initiative connaît un tel succès que le gouvernement canadien songe à implanter ce programme ailleurs dans le Grand Nord. Son parcours exceptionnel lui a valu le titre de personnalité de l'année 2007 décerné par La Presse *et* Radio-Canada.

COUP DE CŒUR POUR
🍃 le territoire Triton

Durant deux ans, Joé Juneau s'est battu pour protéger cette forêt située à une trentaine de kilomètres au nord-est de La Tuque. «Plus de 400 km² de ce territoire sont restés intacts face à l'industrie forestière. Malgré la surpêche et le braconnage des années 70 et 80, on y retrouve toujours une nature pure, des écosystèmes forestiers exceptionnels, des lacs et des rivières d'une beauté absolument extraordinaire, et des propriétaires de camps, des villégiateurs et les propriétaires d'une pourvoirie qui vivent dans le respect de cette nature», décrit-il.

Pour comprendre l'histoire d'amour entre Joé Juneau et le territoire Triton, il faut retourner des années en arrière, alors qu'il avait 10 ans et que son père le lui a fait découvrir pour la toute première fois. Ils y faisaient un peu de pêche, mais surtout de la villégiature. L'idée, c'était de passer du temps ensemble, en nature.

«Là-bas, c'est la paix... On n'entend pas les bruits de la société, on se sert du canot comme moyen de transport... C'est très rare de pouvoir se retrouver à une centaine de kilomètres au nord de Québec et de savoir qu'il y a cette *patch* de nature encore vierge. Et c'est accessible à tout le monde!» fait-il remarquer.

En hiver, il aime y faire de la motoneige, du ski de fond et de la raquette. Mais quand il veut profiter pleinement de la tranquillité des lieux, il préfère y aller en mai et en septembre avec sa conjointe, leurs deux filles, ses parents ou ses amis proches.

«Ce que j'adore, c'est d'y amener des copains et leur faire connaître ce territoire», dit-il. Presque chaque année, quand mai arrive, il va à la pêche avec eux dans le secteur de la pourvoirie. Bien des fois, ce sont ses coéquipiers de hockey qui ont profité de ces belles virées en nature.

« C'était souvent la seule chance qu'on avait de passer du temps de qualité ensemble », relate Joé Juneau, en confiant que Saku Koivu a passé une semaine au Triton en sa compagnie à l'époque où il combattait le cancer.

D'autres moments marquants lui reviennent spontanément en mémoire. « Comme quand j'ai fait découvrir le territoire à Richard Desjardins. Ça a été deux magnifiques journées qui nous ont fait connaître l'un l'autre. Et puis il y a eu la visite de l'équipe de *La semaine verte* au moment même où le ministère des Ressources naturelles était sur place pour évaluer le territoire. C'était agréable d'avoir les caméras de télévision pour immortaliser ça. »

POUR EN SAVOIR PLUS

Le territoire Triton couvre environ 585 km². À la suite des pressions exercées par la coalition de sauvegarde menée par Joé Juneau, le gouvernement du Québec s'est engagé à créer une réserve de biodiversité de 408 km². Triton est un territoire boréal presque intact où on remarque la présence de nombreux peuplements matures de bouleaux jaunes, certains vieux de plus de 300 ans. On y trouve également l'une des plus anciennes et plus prestigieuses pourvoiries d'Amérique du Nord, la Seigneurie du Triton. Quelques routes mènent au territoire, mais aucune ne traverse l'intérieur du secteur. La majorité des lacs ne sont accessibles que par les sentiers, par l'eau ou par la voie des airs. Les activités extérieures y sont nombreuses : chasse, pêche, ornithologie, mycologie, camping, sports aquatiques, randonnée, ski de fond, raquette, motoneige, vous avez le choix !

INFORMATION
Territoire Triton 1 877 393-0557
www.seigneuriedutriton.com

Jean L'Italien

Jean L'Italien est une figure familière du petit écran. Il incarne le journaliste Bernard Paré du téléroman Virginie *depuis plus de dix ans. On l'a aussi vu dans les téléséries* Smash *et* Urgence. *Au grand écran, il a participé entre autres aux longs métrages* Sur le seuil *et* Nez Rouge. *Également homme de théâtre à ses heures, Jean L'Italien est un fidèle supporter de la fondation Mira depuis des années.*

COUP DE CŒUR POUR

🍃 la montagne de Bromont

Jean L'Italien a une attirance particulière pour la montagne de Bromont, dans les Cantons-de-l'Est. Il aime la vue qu'elle procure au sommet et il apprécie l'atmosphère détendue qui se dégage autant de la montagne que de la petite ville touristique à ses pieds.

«Ça a quelque chose de simple, d'apaisant, qu'on ne retrouve pas forcément dans d'autres régions», dit-il.

En fait, le comédien aime tellement les environs de Bromont qu'il ne dirait pas non à y habiter un jour. «On se sent un peu comme chez nous ici. Des fois, je me dis que j'aimerais y finir ma vie.»

Mais c'est surtout parce que Bromont lui permet de pratiquer ses deux activités sportives préférées, le ski alpin et le golf, que Jean L'Italien voue cette affection à

la montagne depuis environ dix ans. Il a découvert les lieux lors d'une activité de la fondation Mira en hiver.

C'est principalement en famille que ce résidant de Richelieu fréquente les pentes de Bromont. Parfois, le groupe n'effectue que quelques descentes, mais profite du moment pour s'imprégner de la beauté des lieux et relaxer.

En fait, Jean L'Italien a exploré bon nombre de facettes de la montagne. Il l'a aussi vue en filant dans les différentes structures du parc aquatique et il se promet maintenant de la découvrir en vélo de montagne. « Ça m'interpelle », dit-il.

Plus que tout, c'est en été que le comédien préfère se rendre à Bromont. « C'est plus beau. La couleur verte est très forte. Il y a moins de vent. C'est plus calme. On s'installe sur la terrasse après une partie de golf. On ouvre une bouteille et on regarde le paysage. On se sent en vacances, même si c'est juste une journée ! »

🍃 POUR EN SAVOIR PLUS

La ville de Bromont ne manque pas d'attraits. À commencer par la station touristique quatre saisons, qui est l'un des principaux moteurs économiques de la ville. Outre le ski alpin, le parc aquatique et les sentiers de vélo de montagne, de belles randonnées pédestres sont aussi au rendez-vous. Un réseau de sentiers multifonctionnels a été aménagé au cours des dernières années autour de la montagne par l'organisme les Amis des sentiers de la ville. Bromont est aussi synonyme d'équitation ; les compétitions équestres des Jeux olympiques de Montréal s'y sont déroulées en 1976. Des compétitions internationales s'y tiennent encore tous les ans.

INFORMATION
Tourisme Bromont 1 877 276-6668
www.tourismebromont.com

Patrick Lagacé

Diplômé en communications de l'Université d'Ottawa, Patrick Lagacé a commencé sa carrière en journalisme en 1996. Il a travaillé à la radio de Radio-Canada, au Droit *d'Ottawa et au* Journal de Montréal. *Depuis 2006, il est journaliste et chroniqueur au quotidien* La Presse. *Il coanime depuis 2005 à Télé-Québec,* Les Francs-tireurs, *émission pour laquelle il a remporté un prix Gémeaux. Depuis 2006, il a son blogue sur Cyberpresse.ca. Son blogue serait d'ailleurs l'un des plus lus au Québec. En 2007, Patrick Lagacé a été mis en nomination au Concours canadien de journalisme pour des articles publiés au sujet de la championne olympique de biathlon Myriam Bédard.*

COUP DE CŒUR POUR
❧ les Îles-de-la-Madeleine

Selon Patrick Lagacé, les Îles-de-la-Madeleine ne sont rien de moins qu'une « variation exotique de la québécitude ». Aux yeux du journaliste, le Québec regorge d'endroits intéressants à découvrir. « Mais les Îles, c'est un autre monde, ça ne ressemble à rien d'autre de ce qu'il y a au Québec », dit-il.

Il a fait connaissance avec cet archipel situé dans le golfe du Saint-Laurent au début des années 2000 par l'entremise d'une amie qui travaillait alors pour le député de l'endroit, Maxime Arsenault. « Elle nous parlait tout le temps de la beauté des lieux, raconte le chroniqueur. On a donc décidé d'y louer une maison pendant deux semaines. Je suis resté les deux semaines et dix de nos amis sont venus nous visiter en alternance. »

Durant son séjour, Patrick Lagacé a exploré les plages, les falaises et les villages des îles tantôt à pied, tantôt à vélo. Ses périples sur deux roues l'ont particulièrement marqué. « Il y a tellement de vent là-bas. J'avais souvent le vent dans le dos quand je partais, mais pour revenir au chalet, j'ai souffert quelques fois », dit-il en riant.

Il a également pris part à des sorties singulières, dont une activité d'observation des phoques. « On était carrément dans l'eau avec des vestes de flottaison et des *wetsuits*, dit-il. Les phoques étaient tout près de nous. »

Patrick Lagacé balaye le mythe voulant que les Îles soient littéralement envahies par les touristes en été. « Oui, il y a du monde, explique-t-il, mais ça ne nous a pas empêchés de trouver un endroit isolé sur une plage et d'être tranquilles. C'est tellement vaste. Et, en plus, ce qui est bien aux Îles, c'est qu'il ne fait pas trop chaud, tu ne crèves pas de chaleur. »

Parmi les souvenirs qu'il conserve de son unique passage sur place, rien ne peut supplanter son premier contact avec l'archipel. « Ceux qui décident d'y aller se donnent beaucoup de mal, c'est long avant de s'y rendre. Nous étions donc partis la veille au soir sur un traversier de l'Île-du-Prince-Édouard et en arrivant tôt le matin, le jour se levait sur les îles. C'était magique », raconte le populaire blogueur.

Malgré ce coup de foudre, Patrick Lagacé n'a pu retourner à nouveau aux Îles-de-la-Madeleine. Ce n'est pas l'envie qui manquait. Mais le travail, et surtout la naissance de son fils Zak, l'ont amené ailleurs. Ce n'est donc que partie remise, jure le journaliste.

POUR EN SAVOIR PLUS

En forme de croissant, l'archipel des Îles-de-la-Madeleine s'étend sur 65 kilomètres. Il est situé au centre du golfe du Saint-Laurent entre la péninsule gaspésienne, l'île du Cap-Breton (Nouvelle-Écosse), l'Île-du-Prince-Édouard et Terre-Neuve. Il compte sept îles principales, reliées par quatre longues dunes et deux ponts, de même que quatre autres îles isolées. C'est un paradis pour le vélo, les sports nautiques et le tourisme de découverte (ornithologie, géologie, etc.). L'archipel est caractérisé par des villages de pêcheurs et leurs maisons colorées, des falaises de couleur rouge et de nombreuses plages d'une longueur totalisant près de 300 kilomètres. L'été demeure évidemment la saison la plus achalandée, mais de plus en plus de gens visitent les Îles en hiver. On s'y rend en avion (plutôt onéreux) ou en traversier (surtout depuis l'Île-du-Prince-Édouard). Francophones et anglophones cohabitent sur ce territoire maritime très venteux.

Îles-de-la-Madeleine

Cap-aux-Meules

INFORMATION
Tourisme Îles-de-la-Madeleine 418 986-2245, 1 877 624-4437
www.tourismeilesdelamadeleine.com

ROBERT LALONDE

*Robert Lalonde a de multiples talents. Il est à la fois co-
médien et romancier. Son œuvre littéraire a d'ailleurs été
récompensée à quelques reprises au fil des ans. Il a remporté
le prix Robert-Cliche en 1981 pour* La belle épouvante,
et Le petit aigle à tête blanche *lui a mérité deux prix : le
prix du Gouverneur général du Canada en 1994 et le prix
France-Québec en 1995. Son plus récent opus,* Espèces en
voie de disparition, *un recueil de nouvelles, a été publié au
printemps 2007, aux Éditions du Boréal. On a également
pu voir Robert Lalonde ces dernières années dans quelques
productions théâtrales ainsi que dans les téléromans* Un
homme mort *et* 4 et demi *notamment. Au grand écran,
il est apparu dans* Ma vie en cinémascope, Elles étaient
cinq *et* J'ai serré la main du diable.

COUP DE CŒUR POUR
🍂 le parc national d'Anticosti

Robert Lalonde est intarissable lorsqu'il cause de l'île d'Anticosti. Les
mots coulent de source. L'homme a l'endroit dans la peau ; cela saute aux
yeux. Il se pâme pour les animaux qui approchent l'humain sans crainte,
pour la « vieille terre » où abondent les roches fossilisées, pour les chutes
et les rivières où coule une eau de couleur « vert jade » et pour les falaises
qui sont belles comme nulle part ailleurs.

Le caractère aventureux et sportif du séjour à Anticosti plaît particulièrement à Robert Lalonde. « Rien n'est aménagé pour que l'homme soit dans
le confort, ça me plaît », remarque-t-il. Les déplacements obligatoires en
véhicule équipé d'un système de radiocommunication ajoutent à l'attrait
des lieux, à ses yeux. Les routes sont en terre. La vigilance et la prudence
sont de mise au volant.

« J'ai déjà fait 3000 kilomètres en une semaine. Mais la récompense est
énorme. Chaque point de vue est à couper le souffle », dit-il.

Dans ces conditions, la nature prend tous ses droits. Et Robert Lalonde
puise un plaisir fou à l'observer et à l'admirer, un calepin de notes toujours
à portée de la main. Il parle avec bonheur de ces renards qui le suivaient
sans relâche et du petit groupe de chevreuils qui se tenaient dans la cour
de l'hôtel et qui étaient devenus ses amis. Il a aussi passé un après-midi à
admirer un castor affairé à la construction de son barrage.

Robert Lalonde a découvert le parc national d'Anticosti grâce à sa fille,
« folle de nature ». Celle-ci l'a convaincu d'y aller une première fois il y a
sept ou huit ans. Depuis, il y est retourné une fois. « Et j'y retournerais
bien volontiers. J'ai même eu du mal à en revenir la dernière fois. C'est
comme l'endroit ultime où on aimerait vivre », dit-il.

Jusqu'à maintenant, l'homme de lettres n'a arpenté l'île que durant l'été, en juillet et en août. Et c'est ce qu'il préfère. « Je crois que c'est possible de s'y rendre durant l'hiver, mais ça ne m'intéresse pas. Je n'ai pas l'impression qu'on peut bien circuler. » Qu'on se le tienne pour dit, l'île d'Anticosti n'a pas fini de livrer ses secrets à Robert Lalonde et ce, dans ses moindres recoins.

❧ POUR EN SAVOIR PLUS

Le parc national d'Anticosti est une destination qui permet de sortir des sentiers battus. Les paysages sont à couper le souffle. On peut y faire de la randonnée pédestre (une cinquantaine de kilomètres de sentiers faciles et intermédiaires), des randonnées d'auto-interprétation, des randonnées guidées, des activités d'interprétation, du kayak de mer et du camping. Différentes formules d'hébergement sont offertes. On s'y rend par bateau ou par avion. Les activités se déroulent du début juin à la mi-septembre.

Parc national d'Anticosti

INFORMATION
Parc national d'Anticosti 418 535-0156

BERNARD LANDRY

Homme politique, avocat et professeur, Bernard Landry a été chef du Parti québécois. En 2001, il succède à Lucien Bouchard, qui démissionne de ses fonctions, et devient de facto le 28e premier ministre du Québec. Son mandat prend fin en 2003 lorsque le Parti libéral prend le pouvoir. Le 4 juin 2005, à la surprise générale, M. Landry annonce la fin de sa carrière politique. Aujourd'hui, il demeure actif comme professeur à l'École Polytechnique et à l'UQAM. Observateur de la scène politique, il est régulièrement invité à titre de conférencier. Il est marié à la chanteuse Chantal Renaud.

COUP DE CŒUR POUR
🍃 le fleuve Saint-Laurent

Pour Bernard Landry, il n'existe pas plus beau coin nature que le fleuve Saint-Laurent. «Sur le plan géographique et historique, le Saint-Laurent c'est le cœur du Québec. Sa symbolique est d'une puissance extrême», dit-il. M. Landry habite d'ailleurs sur le bord du fleuve depuis plus de 25 ans. De sa résidence de Verchères, construite en 1770, il a le fleuve à ses pieds. Et il ne s'en lasse pas. «Il change d'heure en heure. Depuis 25 ans, c'est un ravissement perpétuel», lance le politicien retraité.

Bernard Landry apprécie le fleuve dans son ensemble, mais il affectionne particulièrement les régions de Verchères, Varennes et Contrecœur, de même que les îles de Sorel et de Berthier, qu'il a

maintes fois visitées à l'époque où il possédait un voilier. Il entend d'ailleurs renouer à court terme avec la navigation en faisant l'achat, dit-il, d'une embarcation à moteur.

Depuis 15 ans, l'ancien premier ministre s'adonne à la marche rapide. Son parcours préféré est sans conteste le long du fleuve Saint-Laurent. « Je suis de plus en plus en amour avec le fleuve. » Peu importe la saison ou l'endroit où il se trouve, Bernard Landry marche cinq kilomètres tous les matins. En été, sa conjointe Chantal Renaud l'accompagne à l'occasion. Mais plus souvent qu'autrement, il marche seul.

« Il y a cinq ou six ans, je marchais sur le bord du fleuve à Kamouraska. Au moment où le soleil s'est levé, il y avait d'un côté le village de Kamouraska, à contre-jour, et de l'autre les montagnes de Charlevoix éclairées par le soleil. C'est un ravissement que je n'ai retrouvé nulle part ailleurs. »

L'histoire d'amour entre M. Landry et le fleuve Saint-Laurent ne date pas d'hier. « Je devais avoir six ou sept ans. Mes parents m'ont amené à Montréal. Nous étions sur la route 138. À la hauteur de Saint-Sulpice, j'ai vu cette énorme étendue d'eau. Dans l'hymne national du Québec, il y avait un passage qui disait "près du fleuve géant". Je l'avais maintenant sous les yeux, ce fleuve géant. Je l'aime depuis ce jour. »

POUR EN SAVOIR PLUS

Long de 3360 kilomètres, le fleuve Saint-Laurent prend ses sources dans le lac Supérieur, en Ontario, et dans quelques États américains. Il se jette dans le golfe du même nom. Dans le but de conserver ce milieu d'une grande biodiversité, les gouvernements du Québec et du Canada ont créé conjointement le parc marin du Saguenay-Saint-Laurent. D'une superficie de 1138 km², ce parc s'étend sur la rivière Saguenay et une partie de l'estuaire du Saint-Laurent. Sur la rive nord du fleuve, le parc va de La Malbaie aux Escoumins et englobe la région du fjord. Sur la rive sud, il s'étire de Kamouraska à Trois-Pistoles.

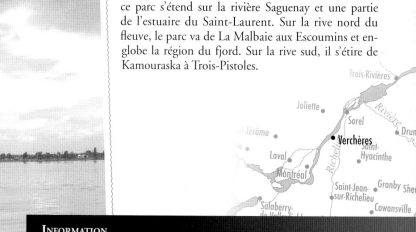

INFORMATION
De la Montérégie, située dans l'extrême sud du Québec, à la Gaspésie et la Côte Nord, le fleuve Saint-Laurent peut être observé à divers endroits. Les routes 132 (sur la rive sud) et 138 (sur la rive nord) offrent les meilleures vues sur le majestueux cours d'eau.

RICARDO LARRIVÉE

Diplômé de l'Institut de tourisme et d'hôtellerie du Québec (ITHQ), Ricardo, comme on se plaît à le nommer, aime partager sa passion de la cuisine. Après son passage à l'ITHQ, il étudie les communications à Ottawa, puis se retrouve en Saskatchewan, à l'emploi de Radio-Canada, où il fera ses débuts à la télé comme chroniqueur gastronomique. Depuis sept ans, il anime sa populaire émission quotidienne Ricardo *à la télévision française de Radio-Canada. Depuis peu, il cuisine à l'émission* Ricardo and Friends *sur la chaîne anglophone* The Food Network. *Il est l'auteur du livre* Ma cuisine week-end, *et coauteur avec Christina Blais du livre* La Chimie des desserts. *Son magazine de cuisine* Ricardo *est disponible en français et en anglais partout au Canada.*

COUP DE CŒUR POUR

🍃 le vieux Chambly

Ricardo aurait pu nous vanter sa Gaspésie natale, mais il a plutôt choisi de parler de la municipalité de Chambly, où il habite avec sa conjointe et leurs trois filles. «On dirait que Chambly est une destination vacances. Chaque fois que je quitte Montréal et que je reviens chez nous, j'ai l'impression d'être en vacances», lance-t-il d'emblée.

Pour cet épicurien, Chambly, et plus particulièrement son vieux quartier, est un heureux mélange de nature, de culture et d'histoire et ce, peu importe la saison. L'été semble toutefois être une période appréciée par Ricardo et les siens, notamment pour ce qui est d'organiser des pique-niques près du fort Chambly.

«Avec la rivière Richelieu, le canal et la piste cyclable, explique-t-il, c'est un paradis pour les sports de voile, le kayak et le vélo. En roulant sur la piste cyclable entre Chambly et Saint-Jean, il n'y a pas de poteaux ni de fils électriques, on dirait parfois qu'on est en Europe.»

Le vélo occupe d'ailleurs une place prépondérante dans la routine de Ricardo. «J'essaie d'en faire tous les jours», dit ce contemplatif avoué. L'un de ses meilleurs souvenirs est justement rattaché à la bicyclette. «Avant la naissance de nos enfants, ma femme et moi faisions une promenade le long du canal. On s'est arrêtés pour se coucher dans les herbes hautes en bordure de la piste. On entendait le bruit des vélos et les gens qui passaient dans le canal sur leur voilier. On avait l'impression d'être au bout du monde.»

Ricardo aime tellement le vieux Chambly que lui et sa conjointe ont restauré une dizaine de maisons ancestrales qui étaient mal en point. Mais cette affection pour la ville historique n'a pas toujours été aussi tangible. «À une époque, je voyais Chambly comme une ville où on ne fait que passer», confie l'animateur.

Ironiquement, le déclic s'est fait alors que Ricardo travaillait en Saskatchewan. «Ma blonde était revenue au Québec avant moi et m'avait envoyé des photos de Chambly où on voyait entre autres des voiliers. Je me suis mis à rêver», dit-il.

🍂 POUR EN SAVOIR PLUS

Située en Montérégie, près de Carignan, sur la rive ouest de la rivière Richelieu, à 25 kilomètres de Montréal, Chambly doit notamment sa réputation à ses fortifications aujourd'hui connues sous le nom de fort Chambly. Celles-ci ont joué un rôle important dans la défense du Canada aux 17e et 18e siècles. Restauré en 1983, le fort est un musée où l'on présente des expositions relatant les moments clés de la Nouvelle-France. Il est ouvert, selon un horaire variable, du début avril à la fin octobre. L'autre attrait d'importance à Chambly est le canal maritime qui mène jusqu'à Saint-Jean-sur-Richelieu. Long d'une vingtaine de kilomètres, le canal compte huit écluses qui permettent aux plaisanciers de contourner les rapides de la rivière Richelieu. Une très jolie piste cyclable en poussière de roche relie les deux municipalités.

INFORMATION
Ville de Chambly 450 658-8788
www.ville.chambly.qc.ca

Josée Lavigueur

Sans contredit active physiquement, Josée Lavigueur a tout d'abord évolué dans le monde de la danse et du théâtre musical. Après l'obtention d'un diplôme en éducation physique à l'Université de Montréal, elle effectue un retour vers la danse avec la découverte de la danse aérobie et de ses multiples facettes. Elle est aussi conférencière, entraîneure et maman. Elle a conçu et animé une quinzaine de vidéocassettes et de DVD sur les techniques de mise en forme. Josée Lavigueur est porte-parole des centres de conditionnement physique Énergie Cardio. Elle participe à l'émission Salut Bonjour *à* TVA *et collabore au magazine* Le Lundi.

COUP DE CŒUR POUR
le mont Saint-Grégoire

Que ce soit dans le cadre de son travail ou pour prendre un bol d'air frais en famille, Josée Lavigueur est une habituée du mont Saint-Grégoire, sur la Rive-Sud de Montréal. «J'aime la proximité de cette montagne. Tu peux décider sur un coup de tête d'aller y faire un pique-nique. Bon, ce ne sont pas les montagnes Blanches, mais c'est un beau compromis à 25 minutes de chez moi», explique cette résidante de Saint-Lambert.

Elle a découvert l'endroit il y a six ou sept ans alors qu'elle cueillait des pommes au verger des Charbonneau – «des gens que j'aime beaucoup», dit-elle – situé sur les flancs du mont Saint-Grégoire. Elle a suivi un sentier et hop, s'est retrouvée au sommet de cette montérégienne qui culmine à 260 mètres et à partir duquel une vue sur 360 degrés s'offre au grimpeur en guise de récompense.

Depuis, elle s'y rend régulièrement (sauf en hiver) avec son conjoint et leurs deux filles. «C'est une montagne qui se grimpe en une heure. Il y a un sentier facile, avec quelques passages plus sportifs, mais qui demeure accessible. Mes parents (âgés de 70 ans) l'ont déjà grimpé! Mes filles adorent y aller. Ça représente pour nous un moment de folie, de libération», explique la spécialiste en conditionnement physique.

Josée Lavigueur et les siens se rendent également dans la région de Saint-Grégoire pour y cueillir des pommes en automne, mais aussi au printemps pour se sustenter de produits de l'érable dans l'une des nombreuses cabanes à sucre. La petite famille a également relevé le défi de compléter le sentier aérien (de style «arbre en arbre») qui a récemment été aménagé au pied de la montagne.

La dynamique chroniqueuse conserve de beaux souvenirs de ses nombreuses escapades d'un jour au mont Saint-Grégoire, dont celui-ci: «Tôt au printemps, avec un couple d'amis, on a grimpé la montagne sans trop se presser. Il faisait beau et le panorama était splendide. On s'est installés sur un cap rocheux qui avait l'air d'un grand fauteuil. On doit être restés

là facilement une heure et demie à profiter de la vue et du beau temps»,
se remémore-t-elle.

🍃 POUR EN SAVOIR PLUS

Situé au sud de l'autoroute 10, entre Iberville et Farnham, le mont Saint-
Grégoire (260 mètres) est doté d'un réseau de sentiers pédestres d'environ 5 kilomètres qu'il fait bon parcourir en toutes saisons. L'accès est
payant. Avant de s'y aventurer, il est recommandé de s'adresser au CIME
(Centre d'interprétation du milieu écologique) du Haut-Richelieu, dont
la mission est d'assurer la protection du mont Saint-Grégoire et de le
conserver dans l'état le plus naturel possible. La superficie protégée à
perpétuité par CIME est de 45 hectares, soit 22,5 % du massif forestier,
incluant le sommet. La végétation à la base laisse place à un sommet quasi
dénudé où les amants de géologie seront comblés. On retrouve un grand
nombre d'érablières et de vergers au pied de la montagne.

INFORMATION
CIME Haut-Richelieu 450 346-0406
www.cimehautrichelieu.qc.ca

ÉRIC LUCAS

Chouchou des amateurs de boxe québécois, Éric Lucas leur a plusieurs fois fait vivre d'intenses émotions. Sa fiche chez les professionnels parle d'elle-même : en 48 combats, il a cumulé 38 victoires, dont 14 par knock-out, trois de ses combats se sont soldés par un verdict nul et il n'a encaissé que sept défaites. Au faîte de sa carrière, Éric Lucas a été sacré champion du monde par le World Boxing Council (WBC) chez les super-moyens en 2001 et en 2003. Aujourd'hui, la boxe est derrière lui, mais jamais bien loin. Président du groupe InterBox depuis 2004, Éric Lucas est aussi copropriétaire des restaurants La Cage aux sports de Granby et de Sherbrooke.

COUP DE CŒUR POUR

🍃 le lac Memphrémagog

Pour Éric Lucas, le bonheur est sur l'eau. Et le lac Memphrémagog le ravit complètement. C'est en bateau qu'il aime le découvrir et le redécouvrir, mais « pas vite », prend-il soin de préciser. « On profite du lac. C'est un très beau plan d'eau, très grand, où on peut se promener longtemps. Et sur ses rives, les maisons sont magnifiques. C'est impressionnant. » C'est un peu pour cette raison qu'il aime prendre son temps pour admirer pleinement le paysage.

L'ancien boxeur a découvert Magog et le lac Memphrémagog il y a 14 ans par le biais de sa conjointe, qui est originaire de ce coin. C'est là qu'ils ont ensuite décidé d'élever leur famille. « On est établis à Magog depuis 2003. C'est un bel endroit calme et merveilleux pour vivre. Avec les enfants, c'est l'fun », dit-il.

Les balades nautiques d'Éric Lucas ont surtout lieu le week-end, mais quand son horaire le lui permet, il apprécie le calme des jours de semaine. Souvent, toute la petite famille s'embarque pour quelques belles heures sous le soleil. « On jette l'ancre près de l'abbaye de Saint-Benoît-du-Lac. Il y a un endroit où on peut se baigner et où l'eau est assez basse pour marcher. Et on mange notre pique-nique ! » lance-t-il tout bonnement. Même chose à la plage des Cantons de Magog où la baignade et les pique-niques en famille sont aussi à l'honneur.

Mais si vous lui demandez ce qu'il apprécie particulièrement, il vous dira que c'est de naviguer jusqu'au milieu du lac, de tout arrêter et de se laisser bercer doucement par les vagues. La tranquillité devient alors propice aux belles discussions entre amis. « Il n'y a pas grand-chose de plus relaxant que ça... Surtout la semaine quand c'est plus mollo. »

Il n'y a pas que l'eau cependant. Le plein air, ça se passe aussi sur le plancher des vaches pour Éric Lucas. Si vous déambulez sur la piste cyclable à Magog, il se pourrait bien que vous le croisiez durant sa séance de jogging de sept ou huit kilomètres...

Th
M

Victoriaville

Drummondville

Saint-
Hyacinthe

Montréal

Saint-Jean-
sur-Richelieu

Granby Sherbrooke

Lac Memphrémagog

Salaberry-
de-Valleyfield

Cowansville
Magog

🎗 POUR EN SAVOIR PLUS

Le lac Memphrémagog et la région de Magog ont beaucoup à offrir aux amants de plein air. Le plan d'eau permet bien sûr la pratique de mille et une activités nautiques, mais il serait dommage de s'y limiter. Ses environs ne demandent eux aussi qu'à être découverts. On aime cette région pour le parc national du Mont-Orford, les panoramas magnifiques, les sentiers de randonnée pédestre et équestre, les sites de camping et tout le reste : raquette, ski de fond, ski alpin, traîneau à chiens, pêche blanche en hiver ; vélo, et même le labyrinthe géant de la plage des Cantons, en été.

INFORMATION
Région de Memphrémagog 1 800 267-2744
www.tourisme-memphremagog.com

Pauline Marois

*Le 26 juin 2007, Pauline Marois est devenue la toute pre-
mière Québécoise élue à la tête d'un parti politique. La chef
du Parti québécois est aussi députée de la circonscription
de Charlevoix. Dès son élection dans La Peltrie, en 1981,
cette politicienne de carrière est devenue ministre dans le
gouvernement de René Lévesque. Ce n'était que le début
d'une longue succession de charges ministérielles, dont
celles de la Santé, des Finances et de l'Éducation. Avant
de concrétiser son rêve de diriger le PQ, Pauline Marois a
d'abord tenté sa chance en 1985 et en 2005. La troisième
fois fut la bonne.*

Coup de cœur pour

🍃 le ruisseau Jureux à Saint-Irénée, dans Charlevoix

L'habit ne fait pas le moine, direz-vous. Sous ses allures classiques et raffi-
nées, Pauline Marois demeure une femme très proche de la nature. Depuis
longtemps, la région de Charlevoix l'attire et comble ses envies de grand
air. En particulier, le ruisseau Jureux à Saint-Irénée, un lieu assez sauvage,
très peu fréquenté par les touristes et accessible par un petit sentier.

Elle s'y sent bien pour plein de raisons, dit-elle. «Parce que la nature est
grandiose, parce qu'on entend les rorquals dans le fleuve, parce qu'il y a
des galets. Il y a même une petite plage de sable, mais on ne peut pas s'y
baigner, cependant.»

Ce petit coin caché du village de Saint-Irénée – «sur le bord du fleuve,
assez loin de la route», précise-t-elle – lui a été présenté par des amis,
grands amateurs de kayak sur le fleuve Saint-Laurent. «Ils ont trouvé qu'il
y avait un superbe terrain là-bas, un super bel espace.»

Ses escapades au ruisseau Jureux, elle aime les partager avec sa famille,
son mari et ses amis. De préférence au mois d'août, «quand le fleuve est
un peu plus chaud et que le temps est beau, ajoute Mme Marois. J'adore
ça.»

La chef du Parti Québécois a même fait du camping sauvage plusieurs
fois à cet endroit! Cela fait d'ailleurs partie de ses souvenirs marquants.
Elle raconte...

«On a fait du camping sauvage avec les enfants, alors qu'ils avaient entre
8 et 14 ans, je dirais. On faisait des feux de bois, des tables de pique-nique
avec du vieux bois ramassé sur la plage. Du vrai camping sauvage! Il y
avait le feu sur les pierres... et entre les pierres, nous avions disposé de
vieilles grilles que nous avions trouvées dans le sous-sol, évoque la dame.
Mais je me souviens d'une fois où il avait tellement plu qu'après une
journée, l'eau entrait partout dans les tentes. Nous nous étions réfugiés
dans notre petite camionnette. Au bout d'un moment, on a décidé de
plier bagages et de lever les feutres!»

🍃 Pour en savoir plus

Situé entre les municipalités des Éboulements et de Pointe-au-Pic (La Malbaie), Saint-Irénée fait partie des plus beaux villages du Québec. Les activités y abondent. Golf, kayak de mer, randonnée pédestre, voile, escalade, équitation, natation et bains de soleil occupent tout l'été, tandis que l'hiver permet la pratique des sports de glisse, de la raquette, du patinage et du traîneau à chiens. Les curieux ne manquent pas de se rendre sur la plage pour assister, chaque printemps, au spectacle de millions de petits capelans argentés qui, épuisés par la fraie, viennent s'échouer dans les vagues. On accède à ce village de carte postale en empruntant la Route du fleuve, l'une des plus belles routes panoramiques au Québec.

Information
Municipalité de Saint-Irénée 418 452-3231
www.saintirenee.ca

Mélanie Maynard

Mélanie Maynard s'est rapidement frayé un chemin à sa sortie du cégep de Saint-Hyacinthe, où elle a étudié en théâtre. Son grand sens de l'humour et de la répartie lui ont permis de se démarquer dès les premières émissions aux-quelles elle a participé, dont Piment Fort *et* Km/h. *Les rôles se sont ensuite enchaînés, le plus souvent dans le registre de la comédie. Il y a notamment eu* Caméra Café *et* Dans une galaxie près de chez vous. *Elle est également l'une des co-animatrices à la barre de* Deux filles le matin. *Elle a sévi sur les ondes de Cool-FM et de CKOI.* Belle-Baie, Méchante semaine, Une grenade avec ça?, Rires et déli-res, Sucré Salé *et* Pièces d'identité *sont autant d'émissions qui nous l'ont fait connaître.*

COUP DE CŒUR POUR
🍃 le Centre de la nature du mont Saint-Hilaire

L'attrait de Mélanie Maynard pour le Centre de la nature du mont Saint-Hilaire ne date pas d'hier. «Quand j'allais au cégep de Saint-Hyacinthe, en théâtre, et que je revenais à Montréal, je voyais toujours la montagne et je me disais que j'allais habiter là un jour», raconte-t-elle.

Son vœu s'est réalisé. Elle habite aujourd'hui à flanc de montagne. Et elle a fait du Centre de la nature le terrain de jeu de sa petite famille.

«Gravir le sentier Pain de sucre, c'est un passage obligatoire dans la vie des enfants. Je me souviendrai toujours quand ma fille Rosalie l'a fait à l'âge d'environ deux ans. Je ne pensais pas qu'un enfant de cet âge pouvait grimper si haut. On était arrêtés toutes les cinq minutes. Mais elle l'a fait.»

La comédienne et animatrice se souvient surtout du regard de sa fille une fois rendue au sommet. «Je me souviens de ses yeux, de la fierté qu'elle avait. On dirait même qu'elle nous regardait de haut…», rigole la maman.

Mélanie Maynard apprécie aussi le Centre de la nature pour ses activités familiales, comme les contes animés à l'Halloween, agrémentés d'un cho-colat chaud. «Je trouve que c'est une montagne qui est bien exploitée. Il y a des camps de jour durant l'été. C'est près de la ville. C'est entouré de vergers.»

Le mont Saint-Hilaire est propice aux longues promenades, à la contem-plation du lac Hertel, et certains sentiers offrent un niveau de difficulté plus élevé, ce qui ne lui déplaît pas.

Les lieux sont à leur meilleur l'automne, selon Mélanie Maynard. «Avec les couleurs, c'est hallucinant», lance celle qui s'y rend «le plus souvent possible» lorsque son agenda chargé le lui permet.

🍂 POUR EN SAVOIR PLUS

Le Centre de la nature du mont Saint-Hilaire vaut son pesant d'or… vert avec son statut de Réserve mondiale de la biosphère et de refuge d'oiseaux migrateurs. Il s'agit du seul site de nidification du faucon pèlerin en Montérégie. L'endroit, qui compte quatre sommets, abrite des chênes de plus de 400 ans. Le centre est la propriété de l'Université McGill. On y pratique la randonnée pédestre (25 km), le ski de fond et la raquette. Les familles apprécieront pique-niquer sur le bord du lac Hertel. Entrée payante.

INFORMATION
Centre de la nature du mont Saint-Hilaire 450 467-1755
www.centrenature.qc.ca

THOMAS MULCAIR

Avocat de formation, Thomas Mulcair a longtemps œuvré au sein de l'administration publique avant de faire le saut en politique en 1994. Cette année-là, il est devenu député de la circonscription de Chomedey pour le Parti libéral du Québec, un poste qu'il a occupé jusqu'en 2007. De 2003 à 2006, il a également été ministre du Développement durable, de l'Environnement et des Parcs. M. Mulcair est d'ailleurs à l'origine de la Loi sur le développement durable du Québec. *Depuis son départ du PLQ, Thomas Mulcair est porte-parole du Nouveau parti démocratique au Québec. L'environnement est depuis longtemps son cheval de bataille.*

COUP DE CŒUR POUR

l'île d'Anticosti

Thomas Mulcair connaît bien l'île d'Anticosti pour l'avoir beaucoup fréquentée. «C'est un endroit tout simplement sublime que j'adore. C'est très isolé, il n'y a rien d'autre là-bas. Et les paysages sont vraiment uniques», dit-il.

Pour ce grand amateur de pêche, c'est l'endroit rêvé. «On y trouve du saumon dans la rivière à la Loutre, de la truite de mer dans le golfe et de la truite mouchetée dans les lacs. Pour la truite, ça mord facilement, mais le saumon, il faut le travailler un peu!»

Le politicien a découvert le site il y a cinq ou six ans, par l'intermédiaire de copains qui avaient déjà visité l'île auparavant. Et le coup de foudre était au rendez-vous.

Depuis, séjourner là-bas est presque devenu un rituel que lui et sa famille ne rateraient pour rien au monde. «On y va avec des amis. Nous sommes quatre ou cinq familles qui allons à la pêche ensemble depuis une vingtaine d'années. Les parents, les enfants... On loue un grand chalet et tout le monde y loge en même temps »

Parce qu'il s'y rend d'abord pour la pêche, Thomas Mulcair n'a jamais vu l'île d'Anticosti autrement que sous son jour estival. «Mais il n'y a pas que la pêche, fait-il remarquer. On peut y faire de la randonnée pédestre et aussi de la randonnée à cheval.»

Au fil des étés, il a pu emmagasiner une multitude de petits bonheurs et de souvenirs impérissables. «À l'île, les couchers de soleil sont toujours spectaculaires. Les couleurs sont magnifiques et on voit très loin. Mes meilleurs souvenirs tournent aussi autour de nos feux de camp, en famille, le soir sur la grève... », termine-t-il.

POUR EN SAVOIR PLUS

Anticosti est un véritable enchantement pour quiconque aime la nature sauvage. Randonnée pédestre et équestre, pêche, kayak de mer, observation de mammifères marins et camping font partie des activités possibles à cet endroit. On peut également y séjourner en auberge ou en chalet. L'île ne compte qu'un seul village, Port-Menier, et un immense parc national, où le cerf de Virginie règne en souverain. Le cheptel compte près de 125 000 bêtes! Tant qu'à visiter l'endroit, ne manquez surtout pas la grotte à la Patate et la chute Vauréal, haute de 76 m. On se rend à l'île d'Anticosti par traversier (chaque semaine) ou par avion. L'entrée dans le parc est payante.

Parc national
d'Anticosti

INFORMATION
Île d'Anticosti 1 800 463-0863
www.sepaq.com

Nathalie Normandeau

Nathalie Normandeau représente le comté de Bonaventure pour le Parti libéral à l'Assemblée nationale du Québec depuis 1998. Elle est également vice-première ministre et ministre des Affaires municipales et des Régions. Auparavant, elle a occupé les fonctions de mairesse de la municipalité de Maria, sa ville natale, de 1995 à 1998.

Coup de cœur pour
le village de Belle-Anse

La députée et ministre Nathalie Normandeau a quitté sa Gaspésie natale à l'âge de 17 ans. Mais ce n'était que pour mieux y revenir. Aujourd'hui, non seulement elle représente les intérêts des Gaspésiens à l'Assemblée nationale, mais elle aime toujours un peu plus son coin de pays. «Tous les jours, je trouve la région plus belle», lance-t-elle.

C'est à l'occasion de ses tournées régionales que Nathalie Normandeau a eu le coup de foudre pour Belle-Anse, un petit village maintenant annexé à Percé. «Les résidants de cet endroit ont un immense privilège, croit-elle. Ils habitent dans un paysage de carte postale tous les jours. »

La particularité de Belle-Anse, selon la députée, c'est qu'on a un regard différent sur le légendaire rocher Percé. «On voit le rocher à l'envers parce qu'on est habitué de le voir de Percé. La vue est à couper le souffle. C'est un lieu qui inspire le calme, la sérénité et invite au recueillement. C'est à voir avant de mourir», estime Nathalie Normandeau.

Ses fonctions ministérielles ne le lui permettent pas pour l'instant, mais Belle-Anse a fait un tel effet à la députée qu'elle ne refuserait pas de s'y installer un jour. «C'est un endroit où j'aimerais vivre», dit-elle sans hésitation.

La plupart du temps, elle ne fait que passer et s'extasier encore un peu plus sur la beauté de Belle-Anse sans pouvoir s'arrêter. Mais elle a déjà pris un instant pour aller marcher sur le bord de la grève. Un bref moment volé à son emploi du temps chargé qui lui a fait grand bien.

«J'ai pu admirer le paysage dans sa plus grande beauté. J'ai pris le temps de regarder le Rocher. Ça a été un moment de plénitude. »

Personnellement, Nathalie Normandeau a un faible pour l'automne. Mais la Gaspésie, et le village de Percé, ont un petit quelque chose de singulier qu'elle aime bien en hiver. «La lumière est différente. Ça confère au paysage une dimension particulière, unique», dit-elle.

❧ POUR EN SAVOIR PLUS

Belle-Anse est située sur la route 132 entre les villes de Gaspé et Percé. L'endroit offre une vue imprenable sur le rocher Percé, mais aussi sur l'île Bonaventure, qui abrite une importante colonie de fous de Bassan. Les activités de plein air pullulent dans cette région, notamment au parc national de l'Île-Bonaventure-et-du-Rocher-Percé. Au programme : randonnée pédestre, observation d'oiseaux et de phénomènes géologiques, excursion en mer, kayak et plongée sous-marine. Les balades sur le bord de la grève dans la région sont aussi sources de plaisir.

INFORMATION
Information touristique de Percé 418 782-5448
www.rocherperce.com

François Parenteau

Après avoir travaillé en publicité et au magazine Croc, *François Parenteau s'est fait remarquer par sa participation à la* Course Destination-Monde *en 1994-1995. Il a ensuite été chroniqueur radio à l'émission de Joël Le Bigot et réalisateur, notamment pour l'émission* Points Chauds. *En 2001, il a contribué à la fondation du groupe d'humour* Les Zapartistes, *dont il fait toujours partie, en plus d'être chroniqueur au* VOIR Montréal.

COUP DE CŒUR POUR

🍃 le parc municipal de Baie-des-Rochers

François Parenteau craque pour ce coin nature situé un peu avant Baie-Sainte-Catherine, dans la région de Charlevoix. Cet endroit méconnu, il l'a découvert au début des années 1990 avec un ami qui rêvait de se construire un voilier et qui cherchait un terrain sur le bord du fleuve. «Près de Montréal, ce type de terrain était au-dessus de nos moyens; nous avons donc décidé d'explorer l'est du Québec. Je suis allé acheter des cartes topographiques des rives du Saint-Laurent à l'est de Québec. Nous rêvions du spot idéal, avec une petite rivière qui se jetterait dans le grand fleuve», relate-t-il.

En arrivant à Baie-des-Rochers, ce fut le coup de foudre. Une cascade, un petit estuaire, une île «à temps partiel» accessible à marée basse, des falaises, une plage... «Pas de terrain à vendre, mais un lieu de pèlerinage à adopter», se rappelle François Parenteau.

Ce site de randonnée pédestre est en fait un parc municipal très peu annoncé et minimalement aménagé. On y part près du quai, sur les rives de la rivière Baie-des-Rochers où, dit-il, on a l'impression de se trouver dans un fjord en pleine forêt. «En montant, le sentier passe à travers à peu près tout ce que le Québec peut compter de types de forêt. Des feuillus, des sous-bois peuplés de fougères, quelques grosses roches moussues, des ruisseaux d'eau claire et ensuite des sapins. Après quelques détours offrant des vues spectaculaires en contrebas, on croise même du lichen vers les sommets avant de descendre.»

Le périple est aussi olfactif. L'homme parle avec bonheur de l'humidité forestière, des champignons et de l'humus, puis des conifères au parfum vivifiant. Et vers la fin de la promenade, l'air salin fait son chemin, dit-il. «On sent le fleuve avant de le voir. Et on débouche enfin sur cette anse de sable sur le bord du fleuve où on peut retirer ses bottes et se reposer. C'est presque la mer. Et devant nous, l'horizon où, avec un peu de chance, on peut voir se courber le dos d'une baleine.»

«J'y suis déjà allé avec des amis et avec une blonde, mais j'ai surtout aimé faire le trajet seul, en silence, ajoute-t-il. Et une fois arrivé sur la plage, j'ai mis du Ben Harper dans mes écouteurs et je me suis laissé aller à l'accompagner à l'harmonica, les orteils dans le sable. Un très bon moment de communion avec la nature.»

Depuis cette découverte, ce sentier est devenu un rituel pour François Parenteau. D'accord, il a manqué quelques années récemment, mais il compte bien y retourner. Son moment préféré pour s'y rendre? Fin août ou début septembre, en route pour Tadoussac ou en revenant. «Les odeurs de l'été se mêlent déjà à celles de l'automne et il n'y a jamais grand monde. En plus, à cette période, le brouillard ajoute souvent au charme de l'endroit.»

🍂 POUR EN SAVOIR PLUS

Le sentier accueille les randonneurs, mais les amateurs de kayak et de canot seront aussi ravis de pagayer dans les environs. Ceux qui cherchent la paix totale choisissent même la baie pour y faire du camping sauvage. L'observation des baleines est facile à cet endroit. Il suffit d'avoir une paire de jumelles avec soi. Pour s'y rendre, prendre la route 138 jusqu'au village de Baie-des-Rochers. Tourner à droite à l'intersection de la rue de la Chapelle et poursuivre jusqu'au quai municipal.

Parc municipal de
Baie-des-Rochers

La Malbaie

Rivière-du-Loup

Fleuve Saint

INFORMATION
Parc municipal de Baie-des-Rochers 1 800 667-2276
www.tourisme-charlevoix.com

Pierre-Karl Péladeau

PKP, comme certains le surnomment, est l'un des hommes d'affaires québécois les plus connus. Il est le pdg de Quebecor, une multinationale œuvrant dans le domaine des médias et de l'imprimerie. Quebecor est notamment propriétaire du câblodistributeur Vidéotron, de la station de télévision TVA, du Journal de Montréal *et des magasins Archambault. Pierre-Karl Péladeau est le conjoint de l'animatrice et productrice Julie Snyder.*

Coup de cœur pour
🍃 le parc national du Mont-Orford

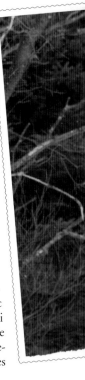

Pierre-Karl Péladeau s'est pris d'affection pour le parc national du Mont-Orford, dans les Cantons-de-l'Est. Ce choix s'explique en partie parce que le pdg de Quebecor possède une résidence à Eastman, un village situé à proximité du parc national. Mais c'est surtout « l'air frais » et « les paysages authentiques » qui en font une destination de choix pour cet aficionado du ski.

Initié au ski alpin il y a plus de 40 ans dans les Laurentides, M. Péladeau aime bien dévaler les pentes du mont Orford avec sa famille ou entre amis. Mais PKP s'est découvert une autre passion il y a près de quatre ans : le ski de fond. Il s'est tout d'abord intéressé au pas classique. Mais depuis l'hiver 2007-2008, la technique du pas de patin (skate) l'enthousiasme au plus haut point. Cet autodidacte n'a d'ailleurs jamais suivi de cours. « J'ai appris en regardant les autres skieurs faire », dit-il. Et il apprend vite. Tellement que les gens ne le reconnaissent pas en le croisant dans les sentiers. « Ils n'ont pas le temps de me reconnaître, je vais trop vite », lance-t-il à la blague.

PKP a aussi parfois de la compagnie : sa fille Marie. Il se souvient avec bonheur de sa première sortie de ski de fond avec elle. « Elle ne fait que du ski alpin et du snowboard ; je l'ai convaincue de venir avec moi. C'était l'hiver 2007-2008. Elle a bien aimé. J'ai hâte maintenant qu'elle me dépasse, probablement dans cinq ans. Le papa a encore quelques bonnes années devant lui... »

L'hiver demeure la saison de prédilection du magnat québécois de la presse écrite lorsqu'il se rend au mont Orford. « Il n'y a pas beaucoup d'endroits où les sentiers de ski sont aussi bien entretenus », dit-il. Mais au printemps et à l'automne, l'homme d'affaires aime bien à l'occasion emprunter la piste cyclable près du camping d'Eastman pour se rendre jusqu'au parc national avec sa conjointe et ses enfants. D'ailleurs, en 2007, Pierre-Karl Péladeau a découvert la Route Verte, ce réseau cyclable de

4000 kilomètres qui sillonne le Québec. Il se promet bien de faire le trajet Montréal-Eastman avec le vélo de course que sa tendre moitié lui a offert en cadeau.

POUR EN SAVOIR PLUS

Le parc national du Mont-Orford est une destination quatre saisons. En hiver, on peut y pratiquer le ski de fond (80 km), le ski alpin et la raquette de montagne (16 km). En été, baignade, randonnée pédestre (120 km), activités d'interprétation de la nature, vélo et camping (461 emplacements) y sont offerts. Casse-croûte et épicerie de dépannage. Blocs sanitaires. Location d'embarcations (canots, kayaks, chaloupes et pédalos) et, en hiver, de raquettes. Entrée payante.

INFORMATION
Parc national du Mont-Orford 819 843-9855 ou 1 800 665-6527
www.sepaq.com

FRED PELLERIN

Fred Pellerin se passe presque de présentation. Il est l'un des plus célèbres conteurs québécois. Il est aussi le fier ambassadeur de son village, Saint-Élie-de-Caxton, en Mauricie. C'est d'ailleurs ce village et les gens qui l'habitent qui lui inspirent ses contes. Il traîne derrière lui trois spectacles et plus de 1500 représentations professionnelles à travers la francophonie. Il a aussi à son actif trois livres-disques, un livre de contes et un album de musique aux accents traditionnels réalisé avec son frère Nicolas. Un de ses contes, rebaptisé Babine, *vivra au grand écran grâce au réalisateur Luc Picard.*

COUP DE CŒUR POUR
🍃 le sentier de ski de fond de Saint-Élie-de-Caxton

Faut-il s'en étonner : le coup de cœur nature de Fred Pellerin se trouve dans son village, Saint-Élie-de-Caxton, à deux pas de chez lui. Il en pince pour le sentier de ski de fond de cinq kilomètres, «flambant neuf», aménagé depuis l'hiver 2007-2008 par la municipalité.

«J'avais l'habitude d'aller faire du ski au parc national de la Mauricie, mais il fallait prendre l'auto et j'aimais moins ça. Là, je mets mes bottes dans la cour chez nous et je pars. C'est l'fun. »

«À la fin de la trail, je vais prendre un café chez Lili. Ça ne fait pas trop sportif… Je le bois quand même sur la terrasse pour prendre l'air. Je pense que je suis bon dans l'après-ski… », précise Fred Pellerin en riant de bon cœur.

Le conteur aux lunettes rondes ne fait pas toujours de l'esbrouffe. «Je ne suis pas un gros sportif, avoue-t-il. Je ne suis pas un gars qui surveille son alimentation et ses palpitations cardiaques », croit-il bon d'ajouter avec humour. Fred Pellerin préfère avoir un but lorsqu'il pratique une activité à l'extérieur. «Par exemple, quand je mets mes raquettes, c'est pour aller ramasser de l'eau d'érable. Mais je fais quand même du ski de fond deux ou trois fois par semaine pour le plaisir. »

C'est seul ou avec son ami Jeannot que Fred Pellerin s'élance sur ses skis. «Jeannot est saxophoniste. Il joue sur le disque que j'ai fait avec mon frère. Il s'est mis au sport intensif. Il reste à 100 pieds de chez nous. On part ensemble de temps en temps », dit ce «gars de famille élargie ».

Le conteur, aussi chanteur, a beau ne pas être un sportif, il a quand même la bougeotte. Outre le ski de fond, il aime glisser sur la montagne du Calvaire, où un chemin de croix est aménagé derrière l'église du village. «Les skidoos battent la trail, après ça glisse super bien », précise Fred Pellerin.

Et, à sa demande, pour ajouter du « muscle » à son aura, précisons qu'il s'adonne aussi à la pétanque et au « bicycle à pédales » avec sa fille durant l'été. « J'ai aussi déjà eu une trottinette à gaz. Mais j'avais trop honte, j'ai arrêté d'en faire. Je pognais 30 km/h avec ça… », raconte-t-il avant de s'esclaffer.

POUR EN SAVOIR PLUS

Village de lacs et de rivières, Saint-Élie-de-Caxton a décidé de miser sur la visibilité que lui apporte Fred Pellerin. On peut faire une visite audioguidée du village. Les écouteurs vissés sur les oreilles, vous pouvez admirer les attraits de Saint-Élie, bercés par la voix du conteur. L'appareil, offert en location, est disponible au bureau d'information touristique local, ouvert durant la saison estivale. L'église et son patrimoine religieux se laissent aussi découvrir. Une piste cyclable de 50 kilomètres se trouve à proximité.

INFORMATION
Saint-Élie-de-Caxton 819 221-2839
www.st-elie-de-caxton.com

ANNIE PELLETIER

Annie Pelletier a gagné la médaille de bronze au tremplin de trois mètres en plongeon aux Jeux olympiques d'Atlanta, en 1996. Elle est aussi médaillée des Jeux du Commonwealth, des Championnats mondiaux aquatiques ainsi que des Jeux panaméricains. Après sa carrière sportive, elle a été tour à tour commentatrice et analyste en plongeon lors de Jeux olympiques. Elle a aussi animé l'émission La vie est un sport dangereux. *Elle est actuellement coordonnatrice aux communications à la Fondation de l'athlète d'excellence du Québec.*

COUP DE CŒUR POUR
🍃 le ciel de Farnham

Après la discipline sportive du plongeon qui l'a menée jusqu'aux Olympiques, Annie Pelletier s'est découvert une nouvelle passion : le parachutisme. En quelques mois seulement, elle a cumulé 80 sauts, la plupart à l'école de parachutisme Nouvel Air à Farnham. Le ciel de cette région de la Montérégie la charme.

Elle se souviendra d'ailleurs très longtemps de son premier saut en solo, après sa formation. «C'était durant le Festival des montgolfières de Saint-Jean-sur-Richelieu. Il y avait environ 60 ballons dans le ciel, et le soleil se couchait. L'atterrissage m'angoissait particulièrement, mais j'ai atterri sur les pieds. J'ai crié très fort, tellement la fierté était là. Et, je l'avoue, j'ai pleuré», raconte-t-elle.

Quand elle se lance dans le vide, Annie Pelletier voit «les nuages, l'avion qui devient de plus en plus petit, les autres parachutistes, la terre, l'autoroute». «On voit tout», dit-elle.

L'adrénaline suscitée par cette activité répond à un besoin pour elle. «Je suis toujours à la recherche d'adrénaline depuis ma retraite. Je suis du genre à toujours aller chercher les sensations fortes», affirme Annie Pelletier. Elle a réalisé son premier vol en tandem lorsqu'elle animait *La vie est un sport dangereux*.

Il faut dire que le parachutisme a des similitudes avec le plongeon. «Quand je saute de l'avion, j'ai 10 000 pieds pour tournailler dans les airs, faire des flips et toutes sortes de figures», note la médaillée olympique à Atlanta.

Reste que la nature a malgré tout le contrôle sur le parachutisme. L'avion ne décolle pas lorsqu'il y a trop de nuages ou de vent. L'automne, la température dans les airs peut être glaciale, alors qu'il fait bon au sol. La pluie se fait aussi parfois cinglante en altitude.

Même si Annie Pelletier a la piqûre, pas question pour elle de faire de la compétition. «Ce qui piquerait ma curiosité, dit-elle, ce serait de sauter avec une caméra sur le casque pour être témoin d'un moment important dans la vie de quelqu'un. À chaque fois, ça vient me chercher.»

🍂 POUR EN SAVOIR PLUS

Du haut des airs, comme au sol, la région de Farnham offre quelques beaux îlots de verdure à découvrir. Il y a, par exemple, le petit Centre de la nature de Farnham, parc semi-urbain situé en bordure de la rivière Yamaska. Quelques sentiers de randonnée pédestre sont accessibles à tous. L'entrée est gratuite. L'endroit est situé près d'une piste cyclable. Dans les environs, le mont Saint-Grégoire se laisse aussi gravir et offre un large panorama sur la région. Par temps clair, la ville de Montréal se dessine à l'horizon.

INFORMATION
Tourisme Montérégie 1 866 469-0069
www.tourisme-monteregie.qc.ca

BRUNO PELLETIER

Bruno Pelletier possède une longue et riche feuille de route dans le milieu de la chanson. Passionné et polyvalent, il a réussi à jumeler avec succès sa carrière solo et sa participation à de grandes comédies musicales, comme La légende de Jimmy, Starmania, Notre-Dame de Paris *et* Dracula. *Auteur, compositeur, interprète, directeur artistique, metteur en scène, producteur, comédien à ses heures, Bruno Pelletier se décrit lui-même comme un touche-à-tout et un «chanteur en-dehors des sentiers battus». Son talent est aujourd'hui reconnu au Québec et dans toute la francophonie. Au cours de sa carrière, celui qui a interprété avec brio le légendaire* Miserere *a reçu de nombreuses récompenses, dont pas moins d'une quinzaine de prix Félix.*

COUP DE CŒUR POUR
🍃 le Centre de la nature du mont Saint-Hilaire

Depuis qu'il a découvert le Centre de la nature du mont Saint-Hilaire, Bruno Pelletier en a fait son lieu de prédilection. Au printemps, en été et en automne – «Je n'aime pas la neige...», avoue-t-il –, le chanteur visite la montagne quelques fois par semaine. Peu de temps après leur arrivée dans cette municipalité, il y a de cela plus d'un an, lui et sa copine sont allés chercher leur carte de membre, tout simplement.

«Je n'étais jamais allé avant. Après notre première randonnée, on s'est dit : "On a ça dans notre cour!" La conclusion, c'est qu'en m'établissant dans le coin, j'ai pris une super décision.»

C'est en solo ou avec sa douce qu'il préfère s'y rendre. Pour une, deux et parfois même trois belles heures. «On s'apporte un petit lunch ou un bouquin. Au sommet, on a une vue imprenable sur la Montérégie et Montréal.»

Lorsqu'il est seul, il grimpe avec énergie, au son de la musique. «Un matin de semaine, je marchais avec mon ipod sur les oreilles. Il n'y avait personne. Puis au beau milieu du sentier, un chevreuil m'est apparu. J'écoutais Amy Winehouse, alors j'ai fermé la musique! Je me suis approché un peu pour le regarder et il est parti. C'est comme si, pour un instant, j'étais complètement sur une autre planète. Wow!»

Dans ces moments de solitude, il trouve souvent l'inspiration. «Ça éveille beaucoup d'idées de création. La montagne est une bonne alternative pour moi. Ça me porte à la réflexion. Le silence, la nature, ça me "grounde" en période de stress», confie celui qui voue également une véritable passion au vélo d'entraînement. Durant la belle saison, trois fois par semaine, Bruno Pelletier parcourt entre 80 et 100 kilomètres sur deux roues dans la campagne environnante.

🍂 POUR EN SAVOIR PLUS

Le Centre de la nature du mont Saint-Hilaire existe depuis 1972. Ouvert 365 jours par année, il offre un réseau de 24 kilomètres de sentiers menant vers quatre sommets et un lac. On y pratique la randonnée pédestre ; en hiver, la raquette et un réseau de 10 kilomètres de ski de randonnée sont aussi offerts aux visiteurs. Nommé Réserve mondiale de la biosphère par l'Unesco, le site renferme une faune et une flore exceptionnelles. On y accède par le chemin des Moulins à Mont-Saint-Hilaire. Suivez les affiches bleues de Tourisme Québec... Entrée payante.

Shawinigan

Trois-Rivièr

Joliette

Sorel

me

Laval

Richelieu

Saint-Hyacinthe

Mont-Saint-Hilaire

Montréal

Saint-Jean-

Granby Sherbrooke

Salaberry-de-Valleyfie

INFORMATION
Centre de la nature du mont Saint-Hilaire 450 467-1755
www.centrenature.qc.ca

MARIE DENISE PELLETIER

La carrière musicale de Marie Denise Pelletier a pris son envol en 1982, après avoir remporté le prix d'interprétation au Festival de la chanson de Granby. Elle a par la suite été remarquée par Luc Plamondon, qui lui a offert le rôle de Stella Spotlight dans la deuxième version de l'opéra-rock Starmania. Elle a enregistré une dizaine d'albums depuis 1986. Pour une histoire d'un soir et Entre la tête et le cœur sont quelques-uns de ses succès. Son œuvre l'a amenée à chanter au Vietnam, en Corse et en Afrique et à participer à différents projets spéciaux. Elle est porte-parole des œuvres internationales du cardinal Léger et de L'Arrêt-Source, une maison qui vient en aide aux jeunes femmes en difficulté.

COUP DE CŒUR POUR

🍃 le village de Mont-Saint-Pierre et sa montagne

Marie Denise Pelletier a découvert le village de Mont-Saint-Pierre en faisant son «premier tour de la Gaspésie sur le pouce», à 16 ans. Elle était alors loin de se douter que cet endroit dominé par une montagne plantée au bord du fleuve deviendrait aussi important pour elle.

Elle y a aujourd'hui une maison et y passe pratiquement tous ses étés depuis environ dix ans. «Mon chum est restaurateur là-bas. Il exploite le resto-bar Les Joyeux naufragés», dit-elle.

C'est justement grâce à son conjoint, natif de Mont-Saint-Pierre, que Marie Denise Pelletier est tombée sous le charme de ce village méconnu de la Haute-Gaspésie. «On parle plus de Percé», déplore-t-elle.

Pourtant, Mont-Saint-Pierre n'a rien à envier à d'autres endroits du Québec. «Du sommet de la montagne, on peut y voir les plus beaux couchers de soleil. Il se couche sur le fleuve, qui est pratiquement un golfe à cette hauteur avec 110 kilomètres entre les deux côtes», assure la chanteuse.

Le spectacle d'un des couchers de l'astre solaire l'a d'ailleurs renversée. «J'étais montée sur la montagne avec mon frère. Le coucher de soleil a duré longtemps, longtemps. À la fin, on dirait que le soleil dansait avec les nuages. La lumière était changeante. Il n'y a rien de spectaculaire comme ça en Gaspésie. Même mon chum, qui est habitué de voir ça, était impressionné cette fois-là.»

Le sommet de la montagne de 411 mètres est aussi propice à la pratique du deltaplane et du parapente, deux activités qui font chaque été l'objet d'un important festival. «Je ne me suis pas encore engagée dans le deltaplane. Je ne suis pas très friande des sensations fortes», avoue-t-elle toutefois.

Par contre, Marie Denise Pelletier a un faible pour la randonnée pédestre. Elle a aussi expérimenté le kayak de mer et l'escalade de glace à Mont-Saint-Pierre. « Il y a aussi une grande plage de sable et de galets. L'eau est très fraîche, mais ça ne m'a pas empêchée de me sacrer à l'eau une fois », se souvient-elle en riant.

Selon elle, les mois de juillet et d'août à Mont-Saint-Pierre, « c'est quelque chose ! Tout est ouvert, c'est vraiment extraordinaire. L'hiver, c'est une beauté plus sauvage avec les glaces sur la mer », dit-elle.

POUR EN SAVOIR PLUS

Difficile de ne pas remarquer le village de Mont-Saint-Pierre et sa montagne, réputée auprès des adeptes de vol libre, en circulant sur la route 132 sur le versant nord de la péninsule gaspésienne. L'endroit réserve de belles découvertes et de beaux panoramas. Le sommet peut être atteint à pied ou en vélo. Les sentiers de randonnée pédestre sont, pour la plupart, sur le réseau du Sentier international des Appalaches. Une flopée d'activités et de services est offerte au village. Camping municipal sur place. Mont-Saint-Pierre est aussi la voie d'accès au parc national de la Gaspésie et à la réserve faunique des Chic-Chocs.

INFORMATION
Tourisme Gaspésie 1 800 463-0323
www.tourisme-gaspesie.com

BRYAN PERRO

Rares sont les écrivains au Québec qui peuvent vivre de leur plume. Bryan Perro est du nombre. Il a fait de l'écriture sa principale occupation avec les 12 tomes de la série jeunesse Amos d'Aragon. *La renommée de l'écrivain dépasse même nos frontières. Son œuvre a été traduite dans 18 langues. En 2006, il a remporté le Prix jeunesse en littérature de science-fiction et de fantastique québécois. En 2007, il a créé* Éclyps, *un spectacle présenté durant la saison estivale à la Cité de l'énergie de Shawinigan. Bryan Perro a une formation de comédien et de professeur de théâtre. Il a aussi obtenu une maîtrise en études québécoises qui porte sur le loup-garou dans la tradition orale du Québec. Il a enseigné près de dix ans au Collège Shawinigan.*

COUP DE CŒUR POUR

🍃 le parc national du Canada de la Mauricie et la région de Saint-Mathieu-du-Parc

Natif de Shawinigan, l'écrivain Bryan Perro connaît bien la région du parc national de la Mauricie pour l'avoir fréquentée à plusieurs reprises. Lorsqu'est venu le temps de s'acheter une maison, c'est tout naturellement que son choix s'est porté sur cette région.

«J'habite à cinq minutes du parc depuis deux ans. J'ai une maison à flanc de montagne et un terrain de deux millions de pieds carrés. C'est dans ce genre de milieu que je veux vivre. Je croise des chevreuils quand je me promène en voiture. Il y a une chouette pas loin. Il y a aussi deux buses à queue rousse. Je connais le territoire que j'habite et ses habitants», raconte-t-il.

Bryan Perro se plaît d'ailleurs à dire qu'un ours noir se promène sur son terrain et y a ses habitudes. «Il vient chercher des graines dans les mangeoires d'oiseaux et s'assoit près d'un arbre pour les manger… On peut le regarder faire à partir d'une fenêtre de la maison», lance-t-il avec amusement.

L'écrivain adore fréquenter le parc national de la Mauricie et ses environs durant l'automne alors que «la forêt s'illumine». La plupart du temps, c'est seul ou accompagné de sa conjointe qu'il effectue des balades en nature ou de la raquette sous les flocons.

«L'été, je fais aussi du vélo dans les rangs de Saint-Mathieu-du-Parc. C'est très agréable», conclut-il.

🍃 POUR EN SAVOIR PLUS

Le parc national du Canada de la Mauricie est l'un des fleurons de la beauté sauvage du Québec et un endroit de prédilection pour la randonnée en canot. Lacs, forêts, cascades, falaises et chutes attendent les visiteurs. Le territoire abrite des renards roux, des ratons laveurs, des ours noirs et des orignaux. Les érablières s'embrasent à l'automne. Au programme : canot-camping, kayak, randonnée pédestre, vélo, baignade et camping. Ski de fond et raquette en hiver. Service de location d'embarcations. Entrée payante.

Parc national du
Canada de la Mauricie ●
Shawinigan
Maurice
La Tuque
Trois-Rivières
Joliette ●
Sorel
Rivière
● Victor

INFORMATION
Parc national du Canada de la Mauricie 819 538-3232, 1 800 463-6769
www.pc.gc.ca/mauricie

DOMINIQUE PÉTIN

*On l'a vue au cinéma (*L'Audition, Le Survenant*), à la télévision (*René, La Promesse, Smash, Fred-dy*) et au théâtre. La comédienne Dominique Pétin a une feuille de route bien remplie. Elle a également des aptitudes pour la chanson et se fait chroniqueuse à ses heures pour différentes émissions de variétés.*

COUP DE CŒUR POUR

🍃 le lac Mégantic

Dominique Pétin garde un souvenir impérissable de ce lac des Cantons-de-l'Est. Il y a pourtant des lunes qu'elle n'y a pas mis les pieds. Mégantic rime pour elle avec enfance. Une de ses tantes y avait une maison et la comédienne allait régulièrement y passer quelques semaines durant les vacances estivales.

« Récemment, j'ai eu un coup de cœur pour l'île aux Grues où mon amie Nicole Leblanc a une maison. Mais si je me projette dans la nature, je préfère le lac Mégantic », explique la comédienne. L'aspect « sauvage » du lac alimentait ses fantasmes alors qu'elle était encore une fillette. « Ma mère est autochtone. Comme il n'y avait pas beaucoup de maisons autour, ça me donnait l'impression qu'il y avait des contrées indiennes pas loin. » Petite, elle aimait s'asseoir au bout du quai « pour contempler et écouter l'eau ».

Le lac Mégantic a aussi été le témoin de moments heureux dans la vie de Dominique Pétin. « Je n'ai pas beaucoup de souvenirs de mes parents ensemble. Ils se sont séparés quand j'avais cinq ans. Mais j'ai une photo d'eux, amoureux, au lac Mégantic. Et ça pour moi, c'est très précieux. »

C'est pour garder intacts les émotions et les souvenirs de sa tendre enfance que Dominique Pétin n'est jamais retournée au lac Mégantic. Malgré tout, elle ne met pas une croix sur toute la région qui entoure le lac. Par exemple, elle se promet d'aller un jour admirer les étoiles du haut de l'ASTROLab du parc national du Mont-Mégantic.

« Je suis une Montréalaise. Je n'ai pas vraiment besoin d'aller en campagne. Mais je me rends compte que chaque fois que j'y suis allée, c'était ressourçant », conclut-elle.

POUR EN SAVOIR PLUS

Le lac Mégantic est situé aux confins des Cantons-de-l'Est, près de la région de la Beauce et du Maine. Mégantic signifie « lieu où se tiennent les poissons » en langue amérindienne. On peut pêcher et pratiquer des activités nautiques sur ce vaste plan d'eau. Rampe de mise à l'eau et location d'équipements à la municipalité de Lac-Mégantic, principale ville située aux abords du lac. La région réserve aussi de belles découvertes, dont le parc national du Mont-Mégantic et son observatoire.

INFORMATION
Tourisme région Mégantic 1 800 363-5515
www.tourisme-megantic.com

LORRAINE PINTAL

Comédienne de formation, metteure en scène et grande manitou du Théâtre du Nouveau Monde (TNM) depuis 1992, Lorraine Pintal a aussi œuvré à la télévision en tant que réalisatrice. Elle est à l'origine de séries comme Le Grand Remous *et* Montréal P.Q. *Au fil des ans, on l'a vue sur les planches de nombreux théâtres du Québec, au cinéma dans* Nelligan *et* Congorama, *mais aussi au petit écran, notamment dans* Blanche, Juliette Pomerleau *et* Deux frères. *Lorraine Pintal est membre de l'Ordre du Canada.*

COUP DE CŒUR POUR
🍃 le parc Outremont

Heureuse Montréalaise, Lorraine Pintal vit sa ville avec passion. Le parc Outremont fait partie de ses endroits chéris. Et ça ne date pas d'hier. Elle venait d'acheter sa première maison dans un quartier voisin quand la dame est tombée sous le charme, par hasard, en se promenant dans Outremont. «Le parc était à dix minutes de ma maison. Ma fille était toute petite à l'époque – elle a 24 ans aujourd'hui – et j'aimais aller là-bas avec elle», dit-elle.

Son âme d'artiste y trouve la beauté, le calme et l'inspiration. Elle s'y rend d'ailleurs souvent seule. «Je ne suis pas une fille contemplative, mais j'aime ce parc. C'est un endroit propice à la réflexion, à la méditation – j'ai déjà fait du taï chi là-bas –, à la lecture, mais aussi au sport. Il y a une magnifique fontaine, un plan d'eau, un jardin d'enfants, des arbres centenaires. Les gens y vivent, y marchent, y pratiquent toutes sortes d'activités. C'est un endroit familial, très multiculturel. Ça me rappelle beaucoup les squares européens.»

Amateure de vélo, Lorraine Pintal sillonne Montréal sur deux roues. Le parc Outremont a souvent été sa ligne d'arrivée. «Je terminais mon parcours au parc. Je me trouvais un banc, j'apportais un livre et je prenais du soleil. Bref, je m'étais fait un circuit de fille qui n'avait pas de gazon! J'y ai parfois passé des journées complètes.»

Ses randonnées au parc, raconte-t-elle, sont un plaisir en toutes saisons. «Même l'hiver, je trouve l'endroit très beau, assise en plein milieu d'un banc de neige!» lance celle qui croise régulièrement des visages connus, le quartier servant de nid à de nombreux artistes.

«J'ai déjà réalisé un court métrage dans Outremont. Ça s'appelait *Signé Charlotte S.* Et une scène importante avait été tournée dans ce parc», précise-t-elle pour illustrer son attachement pour ce site.

POUR EN SAVOIR PLUS

Localisé le long du versant est du mont Royal et apprécié pour sa végétation luxuriante, l'arrondissement Outremont abrite une superbe forêt urbaine et de nombreux parcs et jardins fleuris. Le parc Outremont est le premier parc aménagé dans cette municipalité en 1912. Les Clercs de Saint-Viateur étaient propriétaires du terrain avant d'en faire don à Outremont. Le parc est situé à l'angle des avenues Saint-Viateur et Outremont. Les installations comprennent notamment une aire de jeux pour les enfants, le bassin McDougall et un chalet avec services durant la saison estivale.

INFORMATION
Parc Outremont 514 495-6211
www.ville.montreal.qc.ca (cliquer sur « Outremont » dans l'onglet « Les arrondissements »)

LOUISE PORTAL

Louise Portal fait partie du paysage culturel du Québec depuis plus de 35 ans. On l'a beaucoup vue à la télé et au cinéma, notamment dans Cordélia, Le déclin de l'empire américain *et* Les invasions barbares. *Femme aux multiples talents, elle est aussi chanteuse et romancière. À ce jour, Louise Portal a publié sept ouvrages, dont* L'Enchantée, L'Actrice *et* Les mots de mon père. *Cette grande dame est aussi au cœur de l'événement littéraire* Les correspondances d'Eastman *depuis ses premiers balbutiements, en 2003. La nature a toujours été au cœur de sa création et de sa vie.*

COUP DE CŒUR POUR
🍃 Cap-au-Renard

Le coin de nature préféré de Louise Portal n'a rien de bien étonnant. Cap-au-Renard l'a séduite au point de donner à un de ses romans le nom de ce hameau de la Haute-Gaspésie. À peine 25 maisons peuplent cet endroit où la nature est à la fois sauvage et primaire. « Là-bas, le paysage est toujours changeant, la nature constamment en évolution. La Haute-Gaspésie, c'est tous ces petits villages enclavés entre la mer et les falaises. Et les Gaspésiens sont des gens extrêmement attachants », dit-elle de ce coin de pays qu'elle s'approprie six ou sept fois par année.

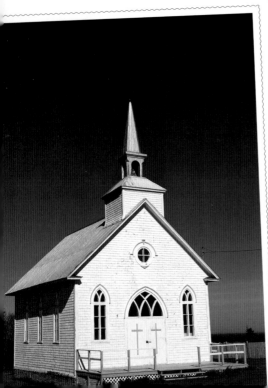

Tout a commencé il y a quelques années quand Louise Portal a fait le tour de la Gaspésie avec son mari, Jacques Hébert, qui avait déjà vécu dans cette région à une certaine époque. Durant le voyage, il a revu des visages de son passé. « On est retournés plusieurs fois par la suite. Puis, un jour, l'opportunité s'est présentée d'acheter la maison où il avait vécu. »

Inspirée, Louise la romancière s'est mise à écrire *Cap-au-Renard*. « Et la fiction a rejoint la réalité... », confie celle qui travaille présentement sur la suite de l'ouvrage.

Dans leur maison, Jacques et elle écrivent et lisent. Et quand ils en sortent, c'est pour prendre l'air. Le couple arpente la grève de galets sans se lasser, à la recherche de « trésors », comme elle le dit si bien. « La nature est très belle en toutes saisons. Durant l'été, nous aimons faire de la randonnée à pied dans le parc de la Gaspésie. Lors de notre première randonnée d'ailleurs, avec nos voisins, Roger et Louise, nous étions tombés face à un énorme orignal. On a senti le sol qui grondait sous son poids. C'était impressionnant. On était en juillet, mais il ne faisait que 0 °C. Ce jour-là, on a mangé notre pique-nique avec nos mitaines. C'est un beau souvenir ! »

En hiver, elle troque ses bottes de marche pour des raquettes. « C'est beau en hiver : on voit les glaces passer sur l'eau. Mais ma saison préférée demeure l'automne, une grande source d'évocation pour moi. »

❧ POUR EN SAVOIR PLUS

Cap-au-Renard est un tout petit village inclus dans la municipalité de La Martre et situé un peu après Sainte-Anne-des-Monts, en Haute-Gaspésie. Pour s'y rendre, il faut quitter la route 132 et emprunter celle du village vers la mer. On y trouve une charmante petite église datant de 1921. Pour les amateurs d'activités extérieures, la région de la Haute-Gaspésie est un véritable terrain de jeu, où on peut faire de la randonnée, du kayak, du cerf-volant, des excursions en mer, l'observation de l'orignal, du vélo, de la pêche au saumon et même du vol libre.

INFORMATION
CLD de la Haute-Gapésie 418 763-2530
www.vacanceshaute-gaspesie.com

Monique Proulx

Écrivaine et scénariste, Monique Proulx a été récompensée de nombreuses fois pour ses différentes œuvres. Elle écrit surtout des romans, mais elle a également un faible pour la nouvelle. Son premier livre, Sans cœur et sans reproche, *publié en 1980, est d'ailleurs un recueil de nouvelles. Son deuxième opus,* Le Sexe des étoiles, *a été porté au grand écran par la cinéaste Paule Baillargeon. Monique Proulx en a signé le scénario. Le film a remporté plusieurs prix dans différents festivals de cinéma. Il a même représenté le Canada en 1994 à la course aux Oscars dans la catégorie du meilleur film de langue étrangère. En 2008, l'écrivaine a publié* Champagne, *un livre dont l'action se déroule au cœur de la forêt laurentienne et qui témoigne de son intérêt pour la nature.*

Coup de cœur pour
le village de Petite-Rivière-Saint-François

L'attachement de Monique Proulx pour la région des Laurentides est notoire, mais ce qui l'est moins, c'est son véritable coup de cœur pour le village de Petite-Rivière-Saint-François, dans Charlevoix.

« Pour s'y rendre, c'est un poème extraordinaire. Il y a cette immense côte qui a dû être remodelée. Et au milieu de la côte, le fleuve nous saute dans le visage. Petite-Rivière-Saint-François, c'est l'eau, le ciel et la montagne. On y sent les forces primitives », explique-t-elle.

L'écrivaine a découvert le petit village, connu surtout pour son centre de ski, Le Massif, il y a près de 10 ans lors d'un séjour de quatre mois où elle a pu profiter de la résidence d'écrivains de Gabrielle Roy. Elle a alors développé une belle relation avec une amie de la défunte auteure. Depuis ce temps, elle lui rend visite deux fois par année. « Chaque fois, je suis foudroyée par la forte présence de la terre et de la mer », dit-elle.

Tout comme le fleuve, la forêt est incontournable à Petite-Rivière-Saint-François. « Il y a des ours, des orignaux. Ce sont les rois de la forêt. Ils ont imprégné mon imaginaire », raconte Monique Proulx.

La forte présence des ours est d'ailleurs un souvenir marquant du séjour prolongé de l'écrivaine au village. « J'en ai vu au moins sept ou huit durant l'été. Ils passaient sur mon terrain. Une fois, je cueillais des fleurs dans le jardin de Gabrielle Roy, des pavots et des pivoines. J'ai entendu des craquements et j'ai vu une mère avec ses oursons sortir des buissons », se souvient-elle encore avec vivacité.

Le paysage l'enchante en toutes saisons. L'hiver, l'écrivaine aime y faire de la raquette ; l'été, la baignade est de mise. Les promenades le long du fleuve à marée basse sont aussi très intéressantes. « Il y a de l'argile de qualité », note-t-elle. Monique Proulx dit par ailleurs y avoir observé des busards qu'elle n'avait jamais vus ailleurs.

Cet aspect un brin « sauvage » de Petite-Rivière-Saint-François ne manque pas de charme aux yeux de Monique Proulx. « Présentement, on a encore l'impression d'être dans un coin perdu du monde », dit-elle.

POUR EN SAVOIR PLUS

Les adeptes de randonnée pédestre sont choyés dans la région de Petite-Rivière-Saint-François. Le Sentier des Caps relie le village à la réserve nationale de faune du Cap Tourmente. Sa cinquantaine de kilomètres permet les longues randonnées, été comme hiver, avec couchers en refuge ou sous la tente. De plus courtes escapades sont aussi possibles. Un réseau de sentiers, les sentiers à Liguori, a également été aménagé dans le village de Petite-Rivière-Saint-François. L'hiver, le ski alpin et la planche à neige sont des incontournables au centre de ski Le Massif. L'endroit offre une vue imprenable sur le fleuve glacé.

INFORMATION
Tourisme Charlevoix 1 800 667-2276   Sentier des Caps 1 866 823-1117
www.tourisme-charlevoix.com   www.sentierdescaps.com

FRANCIS REDDY

Francis Reddy a une feuille de route bien remplie. Un an après sa sortie de l'école de théâtre du cégep Lionel-Groulx, il obtient un rôle dans la pièce Provincetown Playhouse, juillet 1919, j'avais 19 ans. *Au petit écran, qui ne se souvient pas de son rôle de Pete dans le populaire téléroman* Chambres en ville. *Aujourd'hui, on peut voir Francis Reddy jouer dans* Les Poupées russes *à TVA. Comme animateur, il a plus d'une corde à son arc. Depuis 1991, il a animé à plusieurs reprises le Téléthon Opération Enfant-Soleil et jusqu'en 2004, il a animé l'émission* Vins et fromages. *Depuis maintenant trois ans, il coanime* Des Kiwis et des Hommes, *une émission épicurienne à la télé de Radio-Canada tournée en direct depuis le marché Jean-Talon, à Montréal.*

COUP DE CŒUR POUR
🍃 Saint-Donat

Les parents de Francis Reddy ont toujours eu un chalet sur le bord du lac Archambault, à Saint-Donat, dans Lanaudière. «J'ai un lien émotif avec cet endroit», dit-il. Mais il y a un coin que le comédien et animateur chérit plus particulièrement: la baie de l'Ours, qu'il a beaucoup fréquentée dans sa jeunesse.

«C'est à l'autre extrémité du lac, à un endroit qu'on ne peut pas voir de notre chalet. Le plaisir, c'était de s'y rendre en canot ou en chaloupe. Et c'était toujours calme dans la baie, car elle est ceinturée de montagnes et que les bords sont escarpés», décrit-il avec moult détails.

Ce lieu représentait en quelque sorte le repère de Francis Reddy. Les membres de sa famille ne l'y accompagnaient guère. Il s'y rendait plutôt avec des amis. «Quand tu grandis, tu veux montrer que t'es capable d'être autonome. Aller dans la baie, ça voulait dire s'éloigner du chalet», analyse l'animateur.

Il conserve encore à l'esprit une sortie qui s'apparente à la plénitude. «Je suis un gars qui bouge beaucoup. Je me souviendrai longtemps d'une journée ensoleillée où la baie était comme un miroir. Le canot glissait tranquillement sur l'eau. Chaque coup de pagaie était mesuré. On chantait "Léo en canot" ou quelque chose du genre», rigole Francis Reddy.

Quand il ne se rendait pas dans la baie de l'Ours, le comédien aimait bien sillonner le lac Archambault à bord de son canot. Sinon, la baignade était une activité incontournable. Épicurien avant son temps, il se souvient des odeurs entourant «la vie dans le bois», de même que ses nombreuses visites au village où il allait chercher le pain encore chaud.

Aujourd'hui, Francis Reddy possède lui aussi un chalet dans Lanaudière, mais sur les rives d'un lac voisin du lac Archambault. Il n'a pas encore amené ses fils dans la baie de l'Ours. «Je leur ai montré lorsqu'on était

au sommet d'une montagne, mais sans plus. Maintenant que nous en parlons, je sens que je vais y retourner bientôt et que je vais sans doute les y emmener», conclut-il.

🍃 Pour en savoir plus

Le lac Archambault est l'un des plus importants plans d'eau de Saint-Donat, village de tourisme et de villégiature situé dans la région de Lanaudière. On peut y faire des croisières. Une plage municipale surveillée (au parc des Pionniers) ainsi qu'une rampe de mise à l'eau sont aménagées sur les rives. Outre les activités nautiques, Saint-Donat offre un large éventail d'activités de plein air en toutes saisons : randonnée pédestre, vélo, observation d'oiseaux, équitation, patin, glissade, raquette, ski alpin, ski de fond, traîneau à chiens. Ce ne sont pas les choix qui manquent. Saint-Donat est situé à environ 90 minutes de Montréal et non loin du parc national du Mont-Tremblant. Un bureau d'information touristique y est ouvert toute l'année.

Saint-Donat •

Joliette •

Saint-Jérôme •
Lachute •
Hull
Laval

Information
Bureau d'information touristique de Saint-Donat
819 424-2833, 1 888 783-6628
www.saint-donat.ca

Jacynthe René

Le parcours de Jacynthe René est étonnant. Le public l'a vue au cinéma dans La ligne brisée, Souvenirs intimes, Les aventures de Pluto Nash *et* Snake Eyes. *Il a aussi pu apprécier son talent dans les séries télévisées* Diva 1, 2 *et* 3, Urgence, Au nom de la loi *et plus récemment dans* Casino 2. *Mais bien peu savent que la belle dame a aussi joué au théâtre et qu'elle détient un baccalauréat international en sciences pures et un autre en communication. Depuis ses débuts comme actrice, Jacynthe René ne cesse de perfectionner son jeu et ses aptitudes en danse.*

COUP DE CŒUR POUR
🍃 le parc des Rapides à LaSalle

Jacynthe René est une véritable petite souris des champs depuis cinq ans. Forêt et terres agricoles bordent sa maison deux fois centenaire. La nature fait partie intégrante de sa vie et de celle de son fils Louis.

On devine donc sans difficulté le plaisir qu'elle ressent chaque fois qu'elle met les pieds au parc des Rapides à LaSalle. «C'est d'une beauté, cet endroit! On a l'impression d'être sur une île ou un bateau. Le courant est fort et il y a de grosses vagues, précise-t-elle. Quand on s'assoit pour admirer le paysage, c'est comme si on était à la mer.»

Pour une fille qui aime le vent, l'eau et l'air, le site est parfait. «Ça me ressemble beaucoup», confie la comédienne. Elle s'y rend d'ailleurs fréquemment, surtout l'été, le printemps et l'automne, avec son fils et son amoureux. C'est ce dernier qui lui a fait découvrir le parc il y a deux ans.

Depuis, ce sont de beaux moments à chaque fois. «Quand je suis avec mon chum et mon fils, tout devient magique», confie-t-elle.

«On passe à travers des marécages, on enjambe des petits ponts... On suit l'eau en marchant de long en large dans le parc. C'est charmant et très dépaysant. On peut y passer un très bel après-midi. Ça fait beaucoup de bien», ajoute la jeune femme, qui profite aussi de ces visites pour faire quelques exercices de respiration, bien ancrée dans ce cadre enchanteur.

Mais le parc des Rapides, c'est aussi – et surtout – un vaste sanctuaire d'oiseaux, rappelle Jacynthe René. Beaucoup d'ornithologues amateurs s'y rendent avec leur appareil-photo pour immortaliser la beauté des nombreux spécimens qui y nichent.

🪶 POUR EN SAVOIR PLUS

Le parc des Rapides est l'endroit idéal pour voir de près les fameux rapides de Lachine. Cette bande de verdure en bordure de l'eau offre un milieu écologique d'une grande diversité : ce refuge d'oiseaux migrateurs abrite non seulement 225 espèces d'oiseaux, mais aussi 66 espèces de poissons et 250 sortes de plantes. On peut notamment y observer la plus grande colonie de hérons au Québec. Des milliers de canards y séjournent en hiver. Avec ses 30 hectares de superficie, le parc des Rapides comprend une piste cyclable, près de 22 kilomètres de sentiers de randonnée et des pistes de ski de fond. On y pratique aussi la pêche et le kayak. Entrée gratuite.

INFORMATION
Parc des Rapides à LaSalle 514 367-6540
www.ville.montreal.qc.ca

ZACHARY RICHARD

Auteur, compositeur et interprète, Zachary Richard est connu dans toute la francophonie nord-américaine. Né en Louisiane, il mène sa carrière en anglais et en français. Il a habité Montréal de 1976 à 1981 et a enregistré sept albums durant cette période. Il est auteur du grand succès Travailler, c'est trop dur. *Après un retour aux États-Unis et quelques albums en anglais, Zachary Richard a renoué avec la langue française avec* Cap Enragé, *disque double platine, devenu un classique. L'homme est aussi poète, militant francophone et écologiste. Il a joué un rôle actif dans le soutien aux sinistrés à la suite des ouragans Katrina et Rita en 2005. Son dernier album est intitulé* Lumière dans le noir.

COUP DE CŒUR POUR

🍃 le sentier Eucher à La Baie

Zachary Richard apprécie ses tournées au Québec parce qu'elles lui permettent, entre deux spectacles, de faire des observations ornithologiques qu'il ne pourrait pas faire dans sa Louisiane natale. «Ça me permet de voir des espèces boréales, comme les bruants des neiges ou les goélands arctiques», lance-t-il.

C'est un peu pour cette raison que le chanteur cajun garde un excellent souvenir de ses deux visites au sentier Eucher à La Baie, maintenant annexée à la ville de Saguenay. Sa première randonnée, effectuée tôt au printemps, lui a permis de croiser une gélinotte huppée. Une première pour lui! Lors de sa deuxième visite, en été, il a pu observer quantité de juncos ardoisés.

Et le panorama est loin de l'avoir laissé de glace. «La vue sur la baie des Ha! Ha! est splendide», s'emballe-t-il.

Zachary Richard parle en fait des lieux sous le nom du sentier de la Croix de Johnny Tremblay. Vérification faite, il s'agirait cependant du sentier Eucher et de la Croix du Centenaire.

Mais peu importe le nom des endroits, le chanteur se qualifie de «randonneur». «J'aime me retrouver dans le sanctuaire de la nature. Je suis toujours à la recherche d'une piste dans le bois.»

Plus souvent qu'autrement, c'est l'oreille tendue et les yeux levés vers la cime des arbres qu'il découvre les forêts, aux côtés de sa «compagne». «Comme tous les bons observateurs d'oiseaux, j'ai une liste et quand je vois une nouvelle espèce, c'est "Champagne et caviar pour tous"», rigole-t-il.

Et le Québec lui réserve toujours de belles surprises. Sur le bord du lac Témiscouata, il a observé avec bonheur des roselins, des bruants chanteurs et des juncos. Il a pu voir un jaseur boréal à Sept-Îles. Autant de doux moments de communion avec la nature qui demeurent gravés dans sa mémoire.

🦆 POUR EN SAVOIR PLUS

Le début du sentier Eucher se trouve à la marina de l'Anse-à-Benjamin. Le sentier, de niveaux intermédiaire et difficile, permet une longue randonnée, mais il est possible de ne se rendre qu'à la croix, située sur le premier sommet. Le point de vue est à couper le souffle. Aucun droit d'accès. La région présente beaucoup d'autres attraits. L'incontournable parc national du Saguenay permet de découvrir le fjord, notamment en randonnée pédestre ou en kayak. Le Centre de plein air Bec-Scie est également situé non loin de La Baie. Randonnée pédestre, vélo de montagne et coucher en refuge sont quelques-unes des activités qu'on peut y pratiquer. Et à tous ces endroits, la faune ailée se laisse observer. Peut-être pourrez-vous, vous aussi, ajouter une nouvelle espèce à votre liste ?

INFORMATION
Bureau d'information touristique de La Baie 1 800 463-6565
www.ville.saguenay.qc.ca (consultez l'onglet « tourisme »)

ISABEL RICHER

Isabel Richer collectionne les rôles, plusieurs marquants, tant au cinéma qu'au petit écran. On l'a vue dans le film Les trois p'tits cochons *de Patrick Huard. Elle participe également au film* Babine, *réalisé par Luc Picard et inspiré d'un conte de Fred Pellerin. À la télévision, elle a été de l'aventure des* Sœurs Elliot, *du* 7e round, *des* Invincibles I *et* II, *de* Vices cachés II, *de* Un homme mort, *de* Grande Ourse II, *ainsi que de* L'Ombre de l'épervier I *et* II. *Elle a également interprété quelques rôles au théâtre.*

COUP DE CŒUR POUR

🍃 le parc national du Canada Forillon

L'histoire d'amour d'Isabel Richer avec Forillon a commencé il y a une dizaine d'années, durant le tournage de la télésérie *L'Ombre de l'épervier*, dont l'action se déroule en Gaspésie. Pour les besoins de la cause, elle est demeurée trois mois sur place, à deux pas du parc. Ce séjour lui a réservé de beaux moments, comme ces couchers de soleil mémorables qui marquaient la fin de ses journées de tournage. « Une fois sur deux, j'arrêtais l'auto pour les admirer », se souvient-elle.

Le cap Bon Ami, en particulier, qui fend la mer au nord du parc, émeut la comédienne. « Je ne sais pas pourquoi, mais m'asseoir sur la plage à côté du cap, ça me touche. C'est grandiose. J'y suis allée souvent et rien n'est jamais pareil. La couleur de l'eau est différente d'une fois à l'autre. »

Depuis sa première rencontre avec le parc Forillon, Isabel Richer y est retournée pratiquement chaque année, comme si elle y effectuait un pèlerinage. Elle y va seule ou accompagnée d'amis ou de ses proches. Toutes les occasions sont bonnes. Toutes les saisons aussi.

« J'ai vu les quatre saisons là-bas. L'été, c'est plus contemplatif, dit-elle. Mais j'ai aussi été touchée par l'hiver. J'ai de la misère à dire quelle saison je préfère. Marcher là l'hiver, c'est extraordinaire. J'ai aussi vu le soleil se lever sur le cap de la Vieille en hiver. C'est magnifique ! »

La rencontre d'Isabel Richer avec le parc, situé à la pointe de la péninsule gaspésienne, a été marquante à plusieurs points de vue. À ses yeux, elle est devenue une Gaspésienne d'adoption. « J'ai appris à pêcher le saumon avec des amis », dit-elle. Autre raison pour retourner dans la région : la comédienne est devenue une habituée de la Traversée de la Gaspésie, ce périple à skis de fond en groupe.

Parc national
du Canada Forillon
Gaspé

Chandler

Baie des Chaleurs

Bathurst

🐚 POUR EN SAVOIR PLUS

Le parc national du Canada Forillon, c'est la mer, les
plages de galets, les mammifères marins et des paysages grandioses. La route 132 traverse une partie de la
péninsule et permet de se rendre dans l'une des cinq
petites municipalités côtières qui enclavent le parc.
Randonnée pédestre, observation de mammifères et
d'oiseaux marins, kayak de mer, vélo, pique-niques
et croisières d'observation sont autant d'activités qu'il
est possible d'y pratiquer. En hiver : ski de fond, raquette et traîneau à chiens. Entrée payante.

INFORMATION
Parc national du Canada Forillon 1 888 773-8888
www.pc.gc.ca/forillon

GILDOR ROY

Gildor Roy fait partie des enfants chéris du Québec. Animateur, chanteur country, comédien, il est un prolifique touche-à-tout. On a pu le voir dans de nombreuses productions cinématographiques, dont Caboose, Karmina, Les Boys *et* Contre toute espérance. *Et rares sont les Québécois qui ont oublié Germain, le coloré garagiste qu'il a interprété durant plusieurs années dans la série télévisée* Km/h. *L'Abitibien de naissance – et Rigaudien d'adoption – voue un profond attachement à la nature. Il insiste aussi pour qu'on le présente comme «un père de famille dans la moyenne»! Il a animé l'émission matinale* Caféine *à* TQS.

COUP DE CŒUR POUR

le belvédère de la croix du mont Rigaud

Gildor Roy fréquente cet endroit depuis des lunes. Et son affection pour la montagne semble intacte, même après toutes ces années. «J'ai été élevé à Rigaud et une fois par été, avec le terrain de jeu, on montait jusqu'à la croix après avoir traversé le "champ de patates"», se rappelle-t-il.

La légende du champ de patates de Rigaud raconte l'histoire d'un agriculteur qui ne fréquentait jamais l'église, blasphémait et entretenait des liens avec le diable. Pour le punir, Dieu aurait transformé les patates de son champ en roches. Gildor Roy précise qu'il s'agit en fait de moraines, des pierres transportées par un ancien glacier.

Devenu adulte, puis papa, l'artiste n'a jamais cessé de fréquenter le mont Rigaud. Ses deux fils l'ont accompagné au fil des ans. Il compte maintenant faire découvrir le site à sa petite dernière. «Je voulais les emmener là. Et c'est bien étonnant de voir le visage de ses propres enfants quand ils voient la même chose que tu as vue à leur âge. Cet endroit me rappelle beaucoup mon enfance.»

«C'est là, confie-t-il, que j'ai échangé mes premiers regards concupiscents sur une roche plate, à l'ombre de la croix du mont Rigaud. Je devais avoir environ 11 ans. Mais ne me demandez pas de vous nommer la jeune fille. Encore aujourd'hui, c'est une Rigaudienne!» dit-il en riant.

Pour arriver au belvédère, il faut compter une bonne marche d'une heure, explique le comédien. Le sentier sinueux pour se rendre au sommet fait près de deux kilomètres. Gildor Roy parle avec bonheur des talles de bleuets et de framboises, des petits animaux qu'on y croise en chemin. «Il y a aussi des coyotes et des dindons sauvages. Il paraît qu'il y a même des ours dans le coin.»

Puis, une fois au sommet, c'est la récompense. «Par temps clair, on voit Montréal, le barrage hydro-électrique Carillon... C'est un lieu extraordinaire.» Féru d'histoire, Gildor Roy raconte que le mont Rigaud est une formation géologique bizarre : un ancien volcan devenu une île dans la mer de Champlain il y a de cela fort longtemps... Il a d'ailleurs composé la musique et la narration de *Une colline chez les hommes*, un film produit par l'ONF au sujet de ce lieu un peu mythique.

Bien qu'il trouve au site un charme indéniable l'automne, c'est l'été qu'il s'y rend le plus souvent. « J'aime faire de la randonnée, mais c'est aussi un endroit propice à la méditation. On voit loin, c'est beau... »

◈ POUR EN SAVOIR PLUS

Pour accéder à la croix de la montagne, il faut passer par le Sanctuaire Notre-Dame-de-Lourdes ou par la station de ski du mont Rigaud. Le mont Rigaud, qui culmine à 220 mètres d'altitude, est aussi sillonné d'un réseau pédestre de 25 kilomètres appelé l'Escapade. C'est un rendez-vous pour la marche, mais aussi pour le ski nordique en hiver. On peut y observer de nombreuses espèces d'oiseaux. De Montréal, on emprunte la 40 en direction d'Ottawa. L'accès au site se trouve au 15, rue Boisé-des-Franciscains, à deux pas du bureau de poste de Rigaud.

INFORMATION
Mont Rigaud 450 451-0869
www.ville.rigaud.qc.ca

MAXIM ROY

Maxim Roy a fait sa marque comme comédienne et actrice au Québec, au Canada anglais et aux États-Unis. On a pu la voir dans Au nom du père et du fils, Le sorcier, Les Boys I, Virginie *et une foule d'autres films et téléséries francophones et anglophones. La jeune femme est aussi dotée d'une fort jolie voix. Non seulement a-t-elle fait partie de quelques comédies musicales, mais elle a aussi chanté aux côtés de son frère Gildor Roy à titre de choriste. En compagnie de partenaires, Maxim est par ailleurs propriétaire de sa propre maison de production, SANAA Films.*

COUP DE CŒUR POUR
🍃 le sanctuaire Notre-Dame-de-Lourdes, à Rigaud

Entendre une fille jeune et moderne comme Maxim Roy nous dire qu'elle affectionne un endroit de pèlerinage a de quoi surprendre. Le sanctuaire Notre-Dame-de-Lourdes fait pourtant partie de ses endroits préférés en nature.

« Je ne suis pas quelqu'un d'hyper-religieux, mais j'aime m'y rendre souvent. D'autant plus depuis que mon père est décédé. Il aimait cet endroit. C'est un lieu paisible pour me recueillir et profiter de la nature en même temps. Pour méditer, c'est parfait », dit-elle, en décrivant la petite chapelle construite dans le roc, puis une autre en bois – « là où il y a eu des miracles », ajoute-t-elle –, plus haut perchée dans la montagne. « De là, on peut monter jusqu'à la croix du mont Rigaud. »

Maxim Roy se souvient encore de ses premières visites au sanctuaire. La famille Roy habitait Rigaud et s'y rendait le dimanche pour assister à la messe. En été, la cérémonie avait lieu à l'extérieur, en pleine nature. «Ça se rapprochait davantage du côté spirituel. Ça me plaisait beaucoup. Je me souviens que j'aimais me faire belle, mettre une jolie robe pour me rendre au sanctuaire. Je m'assoyais sous les arbres, j'écoutais les chants, j'étais bien.»

Encore aujourd'hui, c'est ce bien-être que Maxim recherche lors de ses visites, qu'elle effectue l'été et l'automne. Elle marche, médite, elle écoute les oiseaux, qui sont nombreux à nicher au sanctuaire. «J'aime aussi aller m'asseoir dans le champ de patates!» lance-t-elle en faisant référence au légendaire espace jonché de cailloux semblables à des pommes de terre.

Elle s'y rend seule le plus souvent, mais elle aime aussi faire découvrir l'endroit à d'autres. «J'ai emmené mon chum l'été dernier et il a été étonné. Il a aimé ça. Il y a vraiment de beaux endroits méconnus au Québec!»

Pour en savoir plus

Le sanctuaire Notre-Dame-de-Lourdes est un lieu de pèlerinage en plein air situé sur le flanc de la colline de Rigaud, dans un paysage d'une grande beauté. L'endroit, que certains surnomment «la cathédrale de verdure», est dédié à la Vierge de l'Immaculée Conception. De juin à septembre, on y tient des célébrations eucharistiques chaque jour. Des visites auto-guidées sont aussi offertes. Ceux qui sont simplement à la recherche d'un beau site pour se fondre dans la nature et apprécier la tranquillité y trouveront également leur compte.

INFORMATION
Sanctuaire Notre-Dame-de-Lourdes 450 451-4631

ÉRIC SALVAIL

C'est d'abord comme animateur de foule (Le Poing J, L'Écuyer, etc.) qu'Éric Salvail s'est fait connaître. En 1997, il devient chroniqueur télé et radio. En 2003, il marque un grand coup en devenant co-concepteur et animateur d'Occupation Double, qui remporte la même année le prix Gémeaux de la meilleure émission de téléréalité. Depuis janvier 2006, il conçoit, produit et anime sa propre émission de variétés, On n'a pas toute la soirée (devenue par la suite Dieu Merci), diffusée en direct sur les ondes de TVA. Le jeune homme anime également l'émission quotidienne Salvail-Racicot pour emporter à Radio-Énergie.

COUP DE CŒUR POUR
🍃 les îles de Sorel

Pour Éric Salvail, les îles de Sorel sont une suite d'images évocatrices. «Tous mes plus beaux souvenirs de famille sont associés aux îles», explique le dynamique animateur. Natif de Sorel, le jeune homme a sillonné l'archipel pratiquement tous les week-ends jusqu'à l'âge de 18 ans. Et pas sur n'importe quelle embarcation: sur un bateau de sept mètres baptisé… *Le Éric*. «Ça a fait un peu de chicane entre moi et ma sœur», dit-il candidement.

Tout ce qui entourait une journée dans les îles était «festif», selon le principal intéressé. «On se baignait un peu partout, se remémore Éric Salvail. On se laissait dériver par le courant et on remontait sur la grève un peu plus loin. On prenait parfois de gros "bouillons", mais c'était pas plus grave que ça. J'ai même fait du ski nautique dans les îles.»

Les sandwichs aux tomates préparés par sa mère, les arrêts impromptus dans les cantines situées sur le bord de l'eau, de même que les journées passées au chalet de «mononcle Gilles» (un ami de la famille) sur l'île de Grâce, sont autant de souvenirs qui reviennent à l'esprit d'Éric Salvail.

Évidemment, qui dit plan d'eau dit pêche, une activité abondamment pratiquée par la famille Salvail. Que ce soit en hiver dans une cabane ou en été dans les chenaux ou au beau milieu du majestueux lac Saint-Pierre, Éric Salvail garde d'excellents souvenirs de ses parties de pêche, notamment avec son père aujourd'hui décédé. «Je ne suis pas un gars calme de nature. Alors pêcher en toute tranquillité avec mon père, c'était quelque chose d'assez unique», explique-t-il.

Même s'il ne fréquente plus les îles régulièrement, Éric Salvail tente le plus souvent possible de retourner dans la région de Sorel, car, dit-il, «c'est là où tout a commencé». Il n'est pas exclu qu'un jour il s'achète un bateau ou même, qui sait, l'un des chalets sur pilotis qui caractérisent les îles de Sorel.

La beauté de cet archipel situé dans le sud du lac Saint-Pierre vaut à elle seule le détour. «Les gens ne pensent pas à aller visiter les îles de Sorel. C'est pourtant un endroit exceptionnel à découvrir. C'est plein de beaux paysages. On se prive d'un beau voyage si on n'y va pas», lance le Sorelois fier de ses origines.

Pour en savoir plus

Avec ses 103 îles, l'archipel du lac Saint-Pierre est l'un des plus importants sites ornithologiques au Québec : près de 300 espèces d'oiseaux y ont été observées. De Sorel, deux choix s'offrent aux visiteurs voulant accéder, entre juin et septembre, à ce riche patrimoine. Le Centre d'interprétation de la nature du patrimoine de Sorel organise des excursions de trois heures en bateau de 12 places. Une balade de 40 kilomètres qui amène les passagers jusqu'aux îles de Berthier. Départ du parc Regard sur le fleuve. Activités d'interprétation sur place. Des excursions, mais sur un bateau de 180 places, sont également offertes près du théâtre du Chenal-du-Moine, à l'est de Sorel.

Information
Office du tourisme du Bas-Richelieu 1 800 474-9441
www.tourismesoreltracyregion.qc.ca

Marie-Claude Savard

On peut voir Marie-Claude Savard tous les matins de la semaine sur les ondes de TVA à l'émission Salut Bonjour! *Après des études universitaires en histoire et en journalisme, la jeune femme a d'abord œuvré comme recherchiste pour diverses stations radiophoniques. En 1999, elle a fait son entrée dans le monde du sport en animant le magazine* Olympiquado. *Au sein de l'équipe des sports de la SRC, elle a aussi agi à titre d'animatrice, de journaliste, puis de rédactrice. En 2008, Marie-Claude Savard a remporté un trophée Artis pour la quatrième fois dans la catégorie Personnalité d'émissions de sports.*

Coup de cœur pour
🍃 le parc national des Îles-de-Boucherville

Au dire de Marie-Claude Savard, ce parc n'est rien de moins qu'un petit coin de paradis au beau milieu du fleuve Saint-Laurent. «C'est l'endroit idéal pour communier avec la nature quand on a peu de temps, dit-elle. L'été, on peut y faire du vélo, l'hiver, du ski de fond, de la raquette et de la marche en tout temps. Pour moi, c'est un refuge depuis plusieurs années.»

La journaliste est une fille de ville, mais elle a assurément besoin de la campagne pour garder son équilibre, confie-t-elle. «Comme je n'ai pas toujours le temps ou l'occasion de partir vers les Laurentides, les Cantons-de-l'Est ou le Vermont – mes trois autres endroits préférés – je peux aller faire un tour à ce parc national. C'est seulement à quelques kilomètres du centre-ville de Montréal, à la sortie du tunnel Louis-Hippolyte-Lafontaine. Je suis toujours bien accueillie là-bas, les gens qui y travaillent sont toujours souriants et, bien que ce soit en ville, c'est toujours très tranquille.»

C'est un reportage télévisé traitant de la population de cerfs de Virginie des îles de Boucherville qui lui avait donné envie d'aller y jeter un coup d'œil, à l'époque. Et elle n'a pas été déçue. Depuis qu'elle fréquente l'endroit, la jeune femme a eu maintes occasions d'approcher ces belles bêtes.

«J'adore y aller l'hiver pour rencontrer les chevreuils. Comme l'eau est glacée entre les îles, ils se promènent plus aisément. Ils sont habitués de côtoyer des humains, alors ils sont presque apprivoisés. Je me souviens d'un après-midi de décembre où j'ai passé quelques heures avec eux dans une clairière. J'ai même pu en flatter quelques-uns.»

Ces beaux moments, elle les vit avec son copain, qui l'accompagne généralement dans ses escapades sur les îles. «C'est notre petit coin secret...»

Situé sur la Rive-Sud de Montréal, le parc des Îles-de-Boucherville est un écrin de verdure au beau milieu du fleuve Saint-Laurent, à un jet de pierre du centre-ville de Montréal. Marcheurs, cyclistes et canoteurs s'y rendent pour respirer à pleins poumons et fuir le brouhaha de la ville. Disséminés sur cinq îles, de vastes espaces verts, des chenaux et des sentiers s'offrent à eux, tout comme plusieurs activités animées de découverte de la faune et de la flore. Entrée payante. Le parc est ouvert toute l'année, de 8 h au coucher du soleil.

INFORMATION
Parc national des Îles-de-Boucherville 450 928-5088
www.sepaq.com

RICHARD SÉGUIN

Richard Séguin est l'un des auteurs, compositeurs et interprètes les plus prolifiques au Québec. C'est avec sa jumelle, Marie-Claire, qu'il s'est d'abord illustré. Les Séguin est vite devenu le groupe-culte de toute une génération au début des années 1970. En 1980, le frère et la sœur ont cependant entrepris des carrières en solo. À ce jour, Richard Séguin a enregistré une quinzaine d'albums. Journée d'Amérique, Double vie *et* Aux portes du matin *ne sont que quelques-uns de ses plus grands succès. Il a été en nomination pour 35 prix Félix et a remporté plusieurs prix au fil des ans pour son œuvre. L'artiste s'est aussi découvert un talent pour la gravure.*

COUP DE CŒUR POUR
le Sentier poétique de Saint-Venant-de-Paquette

Il y a longtemps que Richard Séguin est tombé amoureux de la région de Saint-Venant-de-Paquette. Tomber amoureux est en fait un euphémisme, car il a littéralement dans la peau ce petit village situé aux confins des Cantons-de-l'Est. À un point tel qu'il parle de ce «pays de vent» avec des accents lyriques.

«Nous avions 20 ans, des nomades, des héritiers des années soixante, remplis de candeur et d'attentes. Nous avions pris la décision, Marthe et moi, de nous installer dans un village au cœur des Appalaches», raconte-t-il.

Richard Séguin ne s'est toutefois pas contenté d'aménager un refuge pour fuir la frénésie urbaine. Il s'est investi pour insuffler un cachet unique au village, surnommé la «tourterelle de l'Estrie» à cause de son église patrimoniale construite par ses habitants en 1860.

Le chanteur est à l'origine de la création du Sentier poétique, aménagé avec la collaboration de plusieurs habitants du village qui compte une centaine d'âmes. Amoureux de la nature, artistes et jardiniers y ont mis du leur. Le Sentier offre à qui le foule les plus beaux poèmes des Cantons-de-l'Est et du Québec, mis en valeur dans différents aménagements horticoles. Dans cet environnement, les poèmes prennent vie.

À l'instar du Sentier, qu'il faut découvrir d'un pas lent, la marche est l'activité de prédilection de Richard Séguin. «Marcher devient tout sauf une activité de compensation. J'y vois là une résistance, un pied de nez à l'accélération. Je veux marcher à mon rythme», dit-il.

Les montagnes autour exercent un attrait sur lui. «Un simple parcours de sept kilomètres qui me conduit au champ du paradis (c'est ainsi que les enfants du village ont baptisé le sommet). Là, on peut voir les Appalaches, la continuation des montagnes Blanches du New Hampshire. Là, il y a l'air, le paysage, le vent qui porte les résonances de l'infini et il y a le silence.»

🍂 POUR EN SAVOIR PLUS

Saint-Venant-de-Paquette se trouve dans la MRC de Coaticook. Le village se laisse découvrir par le Sentier poétique, mais aussi par le musée-église et la Maison de l'arbre. L'accès au Sentier et le service de guide sont gratuits. La région offre notamment un réseau cyclable, de bons sites d'observation d'oiseaux, des sentiers de randonnée pédestre et quelques bâtiments d'intérêt patrimonial, comme des ponts couverts et des granges rondes.

INFORMATION

Les Amis du patrimoine de Saint-Venant-de-Paquette 819 658-1064
www.amisdupatrimoine.qc.ca

Tourisme Coaticook
1 866 665-6669 ou 819 849-6669
www.tourismecoaticook.qc.ca

LARRY SMITH

Larry Smith est président des Alouettes de Montréal depuis 2004, un poste qu'il avait aussi occupé de 1997 à 2001. Il a également dirigé le quotidien The Gazette *durant quelques années. Les amateurs de football l'ont d'abord connu comme joueur des Alouettes de 1972 à 1980, période durant laquelle il a participé à cinq finales de la Coupe Grey et en a remporté deux. Ce diplômé en économie et en droit s'est lancé dans le monde des affaires avant même d'avoir terminé sa carrière sportive. Il s'est également illustré à titre de commissaire dans la Ligue canadienne de football durant cinq ans. M. Smith n'est pas qu'un administrateur de talent maintes fois honoré par ses pairs, il est aussi un homme de cœur engagé au sein de nombreux organismes de charité.*

COUP DE CŒUR POUR

🍃 le lac des Deux Montagnes

Le lac des Deux Montagnes fait partie de la vie de Larry Smith depuis sa plus tendre enfance. En 1961, quand ses parents ont acheté une maison en bordure du lac, du côté d'Hudson, c'est tout un univers qui s'ouvrait à lui! Il avait 11 ans à l'époque.

«Notre maison était située en face de l'église d'Oka. Le matin, de l'autre côté du lac, on voyait l'église. L'hiver, avec le reflet du soleil sur la neige, c'était très beau. C'est une vision que j'ai toujours gardée en mémoire. Ça m'élevait l'esprit», raconte-t-il, en précisant qu'encore aujourd'hui, sa mère habite la résidence familiale.

Son attachement est si fort pour ce coin de pays que Larry Smith est un jour revenu s'établir à Hudson avec sa femme et ses enfants, comme plusieurs de ses copains d'enfance. Quand on lui demande avec qui il profite du lac des Deux Montagnes, il répond d'ailleurs du tac au tac: «Avec mes amis du secondaire! La beauté du coin, c'est que les gens y reviennent toujours.»

Ses plus beaux souvenirs demeurent liés à sa jeunesse. «Quand j'avais 14 ou 15 ans, on pouvait passer cinq, six heures par jour sur le lac à faire de la motoneige, même s'il faisait très froid. On faisait aussi beaucoup de ski de fond sur le lac.»

Dans un endroit où tout est «campagne et plein air», les activités sont nombreuses, surtout en été. Mais sur ce lac où les vents sont particulièrement généreux, il aime notamment y pratiquer la voile. «Et en janvier et février, je fais de longues marches sur le lac avec mon épouse, quand c'est bien gelé», ajoute-t-il.

C'est pourtant en automne que le lac des Deux Montagnes exerce tout son attrait sur le président des Alouettes. «J'adore cette saison. Dans cette région, les couleurs sont magnifiques.»

🍃 POUR EN SAVOIR PLUS

Long d'une quarantaine de kilomètres et couvrant près de 150 km², ce plan d'eau est en fait la dernière section de la rivière des Outaouais. Situé au nord-ouest de Montréal, le lac des Deux Montagnes s'étend du barrage de Carillon à celui du Grand Moulin. La saison de navigation y dure de la mi-mai jusqu'à la mi-octobre, ce qui correspond aux dates d'ouverture et de fermeture des écluses de Sainte-Anne-de-Bellevue et de Carillon. De nombreuses marinas et rampes d'accès jonchent son pourtour. En bordure du lac se trouve notamment le parc national d'Oka. La municipalité d'Hudson, située de l'autre côté du lac, offre pour sa part un cadre agréable, des sentiers pédestres, du golf, de la voile, du ski de fond et de l'équitation dans les environs.

INFORMATION
Bureau de tourisme d'Hudson 450 458-6699
Parc national d'Oka 450 479-8565
www.sepaq.com

SOPHIE THIBAULT

Sophie Thibault est chef d'antenne du bulletin de 22 h à TVA depuis 2002. La journaliste devenait du même coup la première femme en Amérique du Nord à animer seule un bulletin de fin de soirée. Au cours des six dernières années, le public lui a décerné le Trophée Artis de la meilleure lectrice de nouvelles, coup sur coup. De nombreux autres prix et récompenses lui ont été remis au cours de sa carrière, dont l'Ordre de la pléiade de l'Assemblée nationale – francophonie. Sophie Thibault a donné de son temps pour diverses causes comme l'Association pulmonaire du Québec, le Centre des femmes de Montréal, l'Association québécoise des infirmières et infirmiers en gérontologie, la Société canadienne de la sclérose en plaques, division Québec, et Kéroul.

COUP DE CŒUR POUR
🍃 le parc de la rivière Doncaster

«De toute beauté!» lance Sophie Thibault au sujet de son endroit de prédilection, non loin de Sainte-Adèle. Et la voilà qui parle de la mousse, des champignons, des oiseaux, des kilomètres de sentiers longeant la rivière Doncaster en son centre. Tout cela menant à un belvédère qui culmine à 375 mètres, avec une belle vue en direction de Montréal.

La dame ne s'en cache pas: elle est une fille de nature, heureuse à la campagne. La ville, très peu pour elle. Dans ce parc, elle respire, elle vit.

«C'est un endroit franchement magnifique, que j'ai découvert par hasard, il y a plusieurs années, en cherchant un coin nature où je pouvais amener mon chien. La beauté de la chose, c'est la possibilité d'y aller avec pitou. Pour moi, le plein air se conjugue avec Solo. Sans lui, je ne fais pas grand-chose. En raquettes l'hiver, c'est un bonheur complet!» raconte-t-elle

Mais Sophie Thibault a un petit faible pour le printemps, «quand la vie renaît». En plus de la randonnée accessible à tous, elle mentionne que, dans le parc, on peut admirer les oiseaux, pêcher et faire du géocaching (à l'aide d'un GPS).

«Maintenant que j'ai un chalet, j'y vais moins, mais c'est vraiment un joyau, un éden dont le secret est bien gardé, une perle au milieu de nulle part, où on peut passer des heures. Chaque fois que j'amène des gens, ils sont impressionnés. J'y suis allée, il y a quelque temps, avec des amis randonneurs. On s'est arrêtés devant la roche à la Licorne, sous les chauds rayons du soleil... une journée magique.»

🍂 POUR EN SAVOIR PLUS

Situé à sept kilomètres du centre-ville de Sainte-Adèle et à une heure de Montréal, le parc de la rivière Doncaster borde la rivière du même nom. Ouvert toute l'année, c'est à la fois 10 kilomètres de sentiers de randonnée ou de raquette et un site de pêche à la truite. Les ornithologues y seront aussi... aux oiseaux. Au début de juin, on y organise la Fête de la pêche en famille, suivie du Festival des couleurs, au début d'octobre. On s'y rend par l'autoroute 15, sortie 67 Nord ou 69 Sud, et on suit les indications routières. Nombreux services sur place. Entrée payante.

Parc de la rivière Doncaster

Joliette

Saint-Jérôme

Lachute

Laval

Montréal

INFORMATION
Parc de la rivière Doncaster 450 229-6686
http//ville.sainte-adele.qc.ca

CATHERINE TRUDEAU

Talentueuse interprète du personnage de Lyne-la-pas-fine dans Les Invincibles, *Catherine Trudeau est l'une des actrices prolifiques de sa génération. Elle a enchaîné les rôles dans plusieurs productions marquantes au cours des dernières années. Elle a été présente à la télévision (*4 et demi, Tabou, Réal-TV*), mais également au cinéma (*Aurore, L'Ange de goudron, Histoire de famille, Le Survenant*). Touche-à-tout, elle foule aussi régulièrement les planches des théâtres montréalais.*

Coup de cœur pour

le Bas-Saint-Laurent et le parc national du Bic

«Qui prend mari, prend pays», prétend un dicton populaire. C'est un peu ce qui est arrivé à Catherine Trudeau. Elle ne s'est pas mariée, mais elle a littéralement adopté le Bas-Saint-Laurent, la région natale de son amoureux.

«Le fleuve m'attire. Il est large dans ce coin-là, mais on voit encore l'autre rive. Et j'aime le vent. En fait, je ne l'aime pas en ville. Mais là-bas, je l'aime. Ça va avec la mer. Même que je me plais à dire que je devais vivre là dans une autre vie. Ça m'émeut beaucoup, ce coin-là du Québec», affirme la comédienne avec vivacité.

Depuis cinq ans, elle s'y rend quelques fois par année, la plupart du temps avec son conjoint. Chaque fois, l'effet est le même. «Le temps s'arrête.» Elle enfile alors ses bottes, une vieille veste et arpente la grève, les deux yeux plantés dans l'eau, à la recherche de jolis coquillages ou de trouvailles inusitées.

Au fil des ans, un rituel s'est installé. «En route pour Rimouski, on fait toujours une pause au parc du Bic. Je vais faire mon salut au fleuve et je fais une marche sur le bord de l'eau», raconte Catherine Trudeau.

Elle craque aussi pour les couchers de soleil, qui figurent parmi ses meilleurs souvenirs de vacances dans cette région. «On a l'habitude, mon amoureux et moi, d'aller sur un belvédère à Saint-Fabien pour les voir. Aussi, en 2005, on avait loué un chalet dans le secteur du Rocher blanc à Rimouski. C'était la fête tous les soirs. On se faisait un souper et on regardait le soleil se coucher.»

La région est d'autant plus intéressante à ses yeux qu'il est possible au cours d'une même journée d'aller se promener en forêt et de faire une excursion en bateau pour admirer les phoques.

Celle qui aime observer les oiseaux marins a un faible pour l'automne. «C'est là où le Québec est le plus beau, dit-elle. C'est aussi durant cette saison que le fleuve est le plus en furie. C'est une belle dépense d'énergie de marcher dans le vent à l'automne!»

POUR EN SAVOIR PLUS

Reconnue pour ses couchers de soleil, la région touristique du Bas-Saint-Laurent s'étend, grosso modo, de Kamouraska à Rimouski. Elle compte de nombreux points d'intérêt «nature», dont le parc national du Bic. Celui-ci laisse rarement indifférent ceux qui le découvrent. Son animal emblème, le phoque commun, est facile à observer entre juin et septembre. Le point culminant du parc, le pic Champlain, se prête bien aux randonnées pédestres. L'entrée est payante. Dans la région, il existe aussi différentes possibilités d'excursions en kayak ou de croisières d'observation.

INFORMATION	Parc national du Bic
Tourisme Bas-Saint-Laurent 1 800 563-5268	418 736-5035
www.tourismebas-st-laurent.com	www.sepaq.com

Mélanie Turgeon

Mélanie Turgeon a connu une carrière extraordinaire sur le circuit international de ski alpin. Membre de l'équipe nationale canadienne de ski alpin à seulement 16 ans, la jeune femme a multiplié les exploits jusqu'à sa retraite, en 2005. Championne du monde junior en 1994, championne canadienne en descente en 2000-2001, championne du monde en descente en 2002-2003, Mélanie Turgeon a été une grande ambassadrice du Québec aux quatre coins du monde. Elle anime l'émission Passion Ski *sur les ondes de Radio-Canada.*

Coup de cœur pour

🍃 le parc national du Mont-Tremblant

Mélanie Turgeon parle du parc du Mont-Tremblant avec un sourire dans la voix. Elle s'y sent parfaitement bien. «C'est un endroit magnifique... et tellement grand! Mais il n'y a pas seulement la montagne, le ski et le village au pied des pistes. On n'est pas tenus de rester sur le site touristique. C'est bien plus que ça. On peut marcher, faire de la raquette. Il y a plein de choses à faire», précise-t-elle.

Elle a découvert le parc il y a une dizaine d'années en pratiquant son sport. Elle y associe d'ailleurs un moment marquant de sa carrière. «J'étais jeune. Je devais avoir 13 ans. Je prenais part aux compétitions de la coupe Taschereau (course classique regroupant les meilleurs athlètes K2 de l'est du Canada et des États-Unis). Cette année-là, on soulignait le 70e anniversaire de l'événement. J'avais remporté la compétition par quelques secondes devant tout le monde, même les gars. Ça a été un tremplin pour moi, car c'est une course mythique.»

C'est seulement depuis deux ou trois ans que Mélanie Turgeon apprend à apprécier les autres activités qui y sont offertes.

Pour profiter des beautés de la nature, il n'y a pas meilleur site, croit-elle. Et quand on lui demande qui l'accompagne le plus souvent dans ses découvertes, elle répond sans hésiter: «Mon chien Moritz! Même si ce n'est pas tout à fait légal... En fait, je préfère aller en nature seule. C'est très ressourçant. Je m'ouvre davantage à recevoir la belle énergie de la nature.»

Bien sûr, Mélanie adore l'hiver pour le ski alpin et la raquette. Elle compte aussi se mettre au ski de fond bientôt... C'est pourtant en automne qu'elle fréquente le parc avec le plus de plaisir. «C'est ma saison préférée pour aller me promener au bois. Les couleurs sont magnifiques là-bas.»

L'endroit lui plaît tellement qu'elle projette d'y construire son nid. Une maison verte, précise celle dont le père et le frère habitent déjà près du parc.

POUR EN SAVOIR PLUS

Avec ses 1492 km², le parc national du Mont-Tremblant constitue le plus vaste des parcs du Québec. Niché dans la chaîne des Laurentides, à 140 kilomètres au nord de Montréal, l'endroit regorge d'animaux sauvages, d'érables à sucre, de lacs, de rivières, de ruisseaux, de chutes et de cascades. Le site est accessible toute l'année. On y pratique le canot, la randonnée pédestre, le vélo, l'observation de la nature et des oiseaux, la pêche, le ski et la raquette. Entrée payante.

Mont-Laurier

Rivière

Parc du Mont-Tremblant

Joliette

Saint-Jérôme
Lachute

INFORMATION
Parc national du Mont-Tremblant 1 800 665-6527
www.sepaq.com

PIERRE VERVILLE

Imitateur et comédien, Pierre Verville a du talent à revendre. Il s'est fait connaître du grand public aux Lundis des Ha! Ha! *dans les années 1980. Depuis, il n'a cessé de peaufiner son art dans des galas, des tournées de spectacles, etc. Tous les matins, il est de l'équipe de* C'est bien meilleur le matin *sur les ondes de Radio-Canada. Depuis septembre 2004, il prête vie aux caricatures de Serge Chapleau dans l'émission* Et Dieu créa Laflaque. *En janvier 2008, il s'est à nouveau attiré la faveur du public grâce à son rôle dans la télésérie* Les Lavigueur, la vraie histoire, *diffusée sur les ondes de Radio-Canada.*

COUP DE CŒUR POUR
l'arrière-pays de Victoriaville

Le mont Arthabaska trône sur la municipalité de Victoriaville dans le Centre-du-Québec. Et derrière cette petite montagne se trouve ce que Pierre Verville surnomme «l'arrière-pays de Victoriaville». «C'est vraiment magnifique comme endroit, lance-t-il. Il y en a qui appellent ça la petite Suisse du Québec. C'est plein de montagnes et de beaux paysages. Et pourtant, ce n'est pas très connu. À mes yeux, ça bat plein de places exotiques.»

Natif de Victoriaville, Pierre Verville connaissait déjà un peu l'endroit. Mais c'est en 2000, lorsqu'il y a loué une maison, que l'imitateur en est littéralement tombé amoureux. «On a vraiment la paix et les paysages sont à couper le souffle. On se promenait à vélo, ma conjointe et moi, et c'est comme si on redécouvrait notre pays», explique cet artiste accompli.

Celui qui est également comédien à ses heures croit savoir pourquoi l'endroit n'est pas aussi fréquenté qu'il le mérite. «Il n'y a presque pas de plans d'eau, donc ce n'est pas comparable aux Cantons-de-l'Est. Et ce n'est pas aussi près de Montréal que les Laurentides ou Lanaudière. C'est donc un endroit pour les gens qui aiment la tranquillité. Je me rappelle d'un coucher de soleil. Avec les montagnes, on se serait cru au Montana», explique-t-il.

Signe que l'arrière-pays de Victoriaville est un lieu pas comme les autres, Pierre Verville affirme que même ses enfants en gardent de bons souvenirs. «J'ai amené mes enfants en voyage à différents endroits dans le monde. Et c'est drôle, c'est de nos visites dans cette région qu'ils me parlent le plus souvent.»

Il faut toutefois dire qu'à une occasion, l'une de ces visites fut singulière: trois générations de Verville ont sillonné ensemble les routes de Saint-Fortunat et de Sainte-Hélène-de-Chester. «J'étais avec mon père qui avait 86 ans et mes deux enfants. On se promenait en pick-up. Ça a été le plus beau contact que mes fils ont eu avec leur grand-père», confie Pierre Verville.

Cet aficionado d'ornithologie n'a pas eu l'occasion de revisiter la région très souvent ces dernières années. Plus souvent qu'autrement, c'est au parc national des Îles-de-Boucherville, près de chez lui, que ce résidant de Saint-Lambert aime se rendre régulièrement. Mais il se promet de retourner au pays de ses ancêtres très bientôt.

Il songe peut-être à y établir ses quartiers un jour. « J'ai acheté une carte géographique de l'endroit. Ça prouve le sérieux de ma démarche », lance-t-il à la blague.

🍂 POUR EN SAVOIR PLUS

De son véritable nom «l'arrière-pays des Bois-Francs», cette région est située au sud de Victoriaville. Elle compte plusieurs municipalités rurales nichées au cœur des Appalaches, ce massif montagneux qui prend naissance en Gaspésie et termine sa course au nord de la Floride. Ce paradis pour les cyclistes abrite de nombreux producteurs agroalimentaires (fromagers, viticulteurs, etc.) qui ouvrent leurs portes l'automne venu, dans le cadre des «Balades gourmandes».

INFORMATION
Tourisme Bois-Francs 819 758-9451 ou 1 888 758-9451
www.tourismeboisfrancs.com

LAURE WARIDEL

Sociologue spécialisée en environnement, Laure Waridel est une pionnière du commerce équitable et de la consommation responsable au Québec. Elle a cofondé Équiterre, un organisme écologiste québécois. La jeune femme est l'auteure des livres L'envers de l'assiette, Acheter, c'est voter *et* Une cause café. *Le magazine canadien* Maclean's *l'a incluse sur la liste des «25 jeunes Canadiens qui changent déjà le monde». Laure Waridel est la conjointe du documentariste Hugo Latulippe.*

COUP DE CŒUR POUR
🍃 l'île Verte

Laure Waridel affectionne grandement l'île Verte, dans le Bas-Saint-Laurent. La jeune femme a beaucoup voyagé et, selon elle, l'île Verte demeure à ce jour l'un des plus beaux endroits qui soit. Elle adore le fleuve Saint-Laurent, les baleines qui y vivent, les champs de fleurs, les paysages, les couchers de soleil sur Tadoussac et sur Charlevoix.

Comme on s'y rend seulement par voie maritime quand la marée le permet, l'île compte à peine une centaine d'habitants, ce qui n'est pas sans déplaire à cette militante en environnement. Laure Waridel a découvert l'endroit à la fin des années 1990 lors d'une excursion en kayak. Après avoir arpenté l'île, elle et son conjoint Hugo ont spontanément

affirmé : « C'est ici que nous voulons avoir des enfants. » En 2000, ils ont acheté un petit terrain, juste avant que les prix n'explosent. Ils y ont construit une maisonnette dont l'énergie provient essentiellement d'une éolienne et de capteurs solaires.

C'est en famille que Laure Waridel passe ses étés sur l'île Verte. Elle y reçoit également beaucoup d'amis. La maison étant trop exiguë, les invités doivent planter leur tente à proximité. La randonnée pédestre est l'une des activités de prédilection de la jeune femme. Sinon, la cueillette de fraises et de bleuets sauvages, mais aussi de chanterelles, l'enchante.

Les balades en kayak réservent aussi des surprises étonnantes. « Quelques semaines après la naissance de notre fils Colin, nous sommes retournés à notre maison sur l'île. Il y a eu une journée d'un calme extraordinaire. Le fleuve était un vrai miroir. Hugo a mis le siège de Colin dans son kayak et nous avons longé la rive. Des marsouins nous ont entourés et ils ont commencé à sauter hors de l'eau. Peut-être sentaient-ils la présence d'un jeune bébé. C'était incroyable ! »

La jeune mère de deux enfants aimerait bien se rendre plus souvent sur l'île Verte en hiver. Mais comme sa demeure n'est pas reliée au réseau d'Hydro-Québec, elle ne dispose d'aucun chauffage d'appoint. La plomberie risque de geler, dit-elle. Or, c'est exactement ce qui est arrivé en 2007 lorsque la petite famille est allée y fêter Noël.

Pour en savoir plus

L'île Verte est accessible en traversier et en bateau-taxi de mai à novembre depuis la municipalité de L'Isle-Verte (ne pas confondre les deux endroits). Cette municipalité est située sur la rive sud du fleuve Saint-Laurent, en bordure de la route 132. L'île Verte compte le plus vieux phare du Saint-Laurent. Outre l'observation de baleines, on y pratique la randonnée pédestre, le vélo et le kayak. Il y a un motel et un restaurant à Notre-Dame-des-Sept-Douleurs, porte d'entrée de l'île. Des chalets sont à louer sur l'ensemble de l'île.

INFORMATION
L'île Verte (Notre-Dame-des-Sept-Douleurs) 418 898-3451
www.ileverte.qc.ca

Nos coups de cœur

ISABEL AUTHIER

Depuis sa jeunesse, Isabel Authier a foulé les sentiers du Centre d'interprétation de la nature du lac Boivin (CINLB), ce joyau naturel, des dizaines de fois sans jamais se lasser. Encore aujourd'hui, toutes les raisons sont bonnes pour s'y rendre. « Combien de promenades j'ai faites là-bas, en amoureux, entre amis et en famille. En pleine canicule de juillet, dans la froidure de février quand les semelles craquent sur la neige ou à l'automne, avec les puissantes odeurs de terre et de feuilles. Quel plaisir ! » À travers les sous-bois, la pinède et les marécages, l'endroit est propice aux confidences, mais aussi à la réflexion, quand elle s'y rend seule. « Ça a un effet instantané sur l'humeur. Les épaules se redressent, le souffle devient plus léger, le sourire apparaît... », confie-t-elle. Une visite au CINLB est l'occasion de prendre son temps, de saluer les canards au passage, de nourrir les mésanges, de taquiner les petits tamias rayés ou de contempler l'eau, tout simplement. « Et quand il n'y a personne aux alentours, que les bruits de la circulation sont étouffés par la végétation, il suffit de fermer les yeux pour avoir droit à un concert magistral de gazouillis d'oiseaux ! »

INFORMATION
Centre d'interprétation de la nature du lac Boivin 450 375-3861
www.cinlb.org

STÉPHANE CHAMPAGNE

Des sommets qui culminent à plus de 1000 mètres et des précipitations de neige en abondance. Pour s'éclater dans ce type d'environnement, Stéphane Champagne n'a pas à se rendre en Gaspésie ni au Lac-Saint-Jean, mais bien à une heure de Sherbrooke, au parc national du Mont-Mégantic. « Je ne sais pas s'il y a là un microclimat, mais Mégantic est un paradis pour le plein air en hiver, dit-il. Me promener sur une montagne peuplée de conifères qui croulent sous la neige, ça me fait beaucoup d'effet. J'adore Mégantic ! » Que ce soit dans un refuge ou dans une tente de prospecteur, il a séjourné au parc à plusieurs reprises avec sa douce au cours des dix dernières années. Il en a sillonné le territoire tantôt avec ses raquettes, tantôt avec ses bottes de marche. Et il ne s'en lasse pas. « C'est une région encore sauvage. Je me suis un peu calmé, mais à une certaine époque, je voulais m'acheter un terrain à proximité du parc. Peut-être que l'envie me reprendra un jour ? »

INFORMATION
Parc national du Mont-Mégantic 819 888-2941 ou 1 800 665-6527
www.sepaq.com

Marie-France Létourneau

Chaque fois que Marie-France Létourneau a visité la région du Bas-Saint-Laurent, la magie a opéré. «Le fleuve a tout un pouvoir sur moi. Il dégage de bonnes vibrations et ces vibrations m'incitent à faire le vide, à ralentir le rythme et à être plus attentive aux beautés environnantes», dit-elle. Ses séjours en bordure du Saint-Laurent sont donc à l'origine d'une pléthore de bons souvenirs, de rencontres marquantes et de plaisirs partagés. Impossible, pour elle, de rester insensible aux grognements d'un chœur de phoques entendus tôt le matin dans l'anse aux Bouleaux Ouest, dans le parc national du Bic, ou de ne pas découvrir avec bonheur le charme mystérieux des îles plantées au beau milieu du Saint-Laurent. Elle craque aussi pour le paysage tout en rondeur des collines de la région du Bic et de Kamouraska. Et que dire des promenades effectuées sur le bord de la grève en quête de coquillages ou de galets uniques? Bref, à ses yeux, le Bas-Saint-Laurent, c'est le symbole par excellence des vacances.

🦟 **Information**
Tourisme Bas-Saint-Laurent 418 867-1272 ou 1 800 563-5268
www.tourismebas-st-laurent.com

Michel Quintin

Amant inconditionnel de la réserve faunique de la Vérendrye, Michel Quintin ne peut passer l'été sans mettre son canot à l'eau sur un des lacs ou une des rivières de ce grand territoire sauvage. «Quelque chose de magique t'attend toujours au prochain détour: un paysage grandiose, un animal sauvage ou un portage plein de défis.» Ce qu'il aime surtout, c'est la relation unique qui se développe avec ses partenaires d'aventure, particulièrement ses enfants et sa blonde, lors de longs parcours de canot-camping. «Tu dois te mesurer aux éléments, pagayer souvent jusqu'au bout de tes forces, mais lorsque tout le monde est réuni autour du feu le soir, c'est là que tu t'arrêtes à tout ce que tu as vu dans ta journée et que tu ressens toute la beauté de la nature», dit-il. Les caps rocheux d'où sauter pour se rafraîchir, la loutre observée pendant un bon moment à jouer avec ses petits, ou encore ce tronc d'arbre en plein milieu de la rivière qui se transforme en gros ours traversant le cours d'eau, voilà ce qui fait dire à Michel Quintin qu'au parc de la Vérendrye, «il t'arrive toujours des belles choses».

🦟 **Information**
Réserve faunique de la Vérendrye 1 800 665-6527
www.sepaq.com

CRÉDITS PHOTOGRAPHIQUES

Légende : P = Portrait   S = Site   F = Filigrane

Couverture : Lac aux Américains
             Parc national de la Gaspésie – Sépaq – Mathieu Dupuis

---

Anderson, David : 114F

ARF : 104P

Association touristique régionale Manicouagan – Dave Prévéreault : 18F

Atelier Frédéric Back : 10P

Auberge & Spa Étoile-sur-le-Lac : 86F

Auclair, Daniel : 90P

Belzile, Patrick : 140S

Bérubé, Jean-François : 82P

Blaquière, Denis : 26P

Bouchard, Gérald : 96F, 97S, 149F

Bourget, Dominic : 84P

Brasseur, Pierre : 127S

Brault, Bernard : 72P

Breton, René : 128-129S

Brière, Claude : 46F, 47S

Caperaa obscura prod : 18P

Chambre de commerce Sainte-Agathe-des-Monts : 14F, 15S

Champagne, Stéphane – Agence Québec-Presse : 5, 7, 8F, 12F, 16F, 20F, 22F, 23S, 24F, 25S, 28F et S, 32F, 33S, 36F, 37S, 38P, F, 39S, 50F, 52F, 54P, F et S, 57S, 58P, 60F, 64F, 68F, 69S, 72F, 74F, 78F, 80F, 84F, 85S, 90F, 91S, 92F, 98F, 99S, 100F, 101S, 102F, 104F, 105S, 110F, 112F, 116F, 118F, 120F, 120-121S, 124F, 125S, 128F, 130F, 131S, 132F, 134F, 136F, 138F, 140F, 143S, 144F, 146P

Château Bromont – Éric Lajeunesse : 74S

CKAC : 14P

CLD de La Haute-Gaspésie – Frédérick De Roy : 114S

Clément, Isabelle : 60P

Collection : Assemblée nationale – Daniel Lessard : 36P, 42P, 56P, 66P, 80P, 88P, 92P

Collection Assemblée nationale – Daniel Létourneau : 94P

Côté, Jean-Pierre – Auberge Matawinie : 48F et S

Dion, Alain : 100P

Doyon, Martine : 24P, 116P

Dumais, Stéphane : 52P

Dumais, Sylvain : 108P

Dunnigan, Pierre: 13S
DUO Productions: 124P
Dussault, Marc: 40P
Gagné, Michel: 144P
Giguère, Sylvain: 74P
Gingras, Suzanne: 80S
Girard, Michel Olivier: 140P
Gracieuseté Annie Pelletier: 102P
Gracieuseté Jean-Michel Anctil: 8P
Gracieuseté Lyne Bessette: 17S
Gracieuseté Marie-Thérèse Fortin: 60S
Gracieuseté Marie Denise Pelletier: 106F, 107S
Gracieuseté Maxim Roy: 128P
Gracieuseté Québec Solidaire: 44P
Gracieuseté Richard Séguin: 134S
Gravel, François: 83S
Hutslar, Kent: 122P
La Cage aux Sports: 86P
Lambert, Josée: 28P
La Presse: 64P, 76P
Latulippe, Hugo: 146F et S
La Voix de l'Est: 12P, 16P, 62P
Leboeuf, Michel: 79S, 93S
Les disques Passeport: 126P
Mattera, Marie-Reine: 114P
Mercier, Johanne: 120P
Metis Musique: 106P
Mongeau, Nathalie: 58F, 59S
Nadeau, Jean-François: 96P
Ospina, David: 32P
Panneton, André: 124P
Paquette, Daniel: 102S
Parc de la rivière Doncaster: 139S
Parc national d'Anticosti – Sépaq – Alain Dumas: 65S
Parc national de l'île-Bonaventure-et-du-Rocher-Percé
– Jean-Pierre Huard: 94F
Parc national des Hautes-Gorges-de-la-Rivière-Malbaie
– Jean-Pierre Huard: 70F
Parc national des Hautes-Gorges-de-la-Rivière-Malbaie – Sépaq
– Maurice Pitre: 71S
Parc national de la Gaspésie – Sépaq – Jean-Pierre Huard: 30F, 30S
Parc national des Îles-de-Boucherville – Sépaq
– Jean-Sébastien Perron: 8S

Parc national des Îles-de-Boucherville – Sépaq – Pierre Pouliot: 133S
Parc national du Canada de la Mauricie – Jacques Pleau: 108F, 109S
Parc national du Mont-Saint-Bruno – Sépaq – M. Pitre – Enviro Foto: 41S
Parc national du Mont-Saint-Bruno – Sépaq – Jean-Sébastien Perron: 40F
Parc national du Mont-Tremblant – Sépaq – Steve Deschênes: 142F
Perreault, Julie: 22P, 48P, 70P, 110P
PGI: 34P
Plourde, Éric: 34F, 34-35S, 112F, 113S
Pourvoirie L'Oasis du Gouin: 27S
Productions Jean Lapalme: 68P
Promotion Saguenay: 122F, 123S
Quebecor: 98P
Quintin, Michel: 82F, 108F
Radio-Canada: 118P
Richard, Monic: 46P
Sénéchal, Rémi: 50P, 51S
Seigneurerie du Triton – Magda Laszkiewicz: 73S
Shaker, Jean-Steve: 10F, 11S, 44F et S
Ski Presse: 142P
Spicer, Marian: 119S
Tétreault, Marie-Claude: 134P
The Gazette: 136P
Thibodeau, Dominique: 78P
TNM – André Cornellier: 112P
Tourisme Bois-Francs: 145S
Tourisme Cantons-de-l'Est – Stéphane Lemire: 87S
Tourisme Cantons-de-l'Est – Mélissa Daigle: 111S
Tourisme Charlevoix – Marc Archambault: 42F, 43S, 117S
Tourisme Charlevoix – JF Bergeron: 66F
Tourisme Charlevoix – Pierre Rochette: 67S
Tourisme Charlevoix – Anne Gardon: 89S
Tourisme Îles-de-la-Madeleine – Michel Bonato: 62F, 63S, 76F, 77S
Tourisme Mauricie – Sébastien Larose: 21S
Tourisme Mauricie: 26F
TVA: 20P, 30P, 130P, 132P, 138P
Van Houtte, Sonia: 53S
Ville de Hudson: 137S
Ville de Percé – Jean-François Gagné: 95S